在黑夜里，

人们都在熟睡，

他过早地醒来。

这是天才的不幸，

却是人类的大幸。

L E O N A R D O

蒋勋谈达芬奇

忧伤的微笑

蒋勋——著

DA VINCI

北京联合出版公司
Beijing United Publishing Co.,Ltd.

目录 CONTENTS

目录 CONTENTS

第二部

蒋勋现场

第三部

达芬奇

作者序

关于达芬奇密码

丹·布朗的《达芬奇密码》在短短的时间销售了三千多万册，翻译成世界各种不同的语言，也连带地使达芬奇变成了家喻户晓的传奇人物。

《达芬奇密码》是一本成功的商业通俗小说。

他从达芬奇一生多姿多彩的创作活动撷取一小部分元素，加以渲染演绎，达到了行销策略上空前的成功。

《达芬奇密码》或许使达芬奇知名度更高了，但是，达芬奇广阔而深邃的创作领域，是否被了解得更多一点？也许很难定论。

关于《达芬奇密码》这本读起来很“过瘾”的小说，其中有关达芬奇个人生活的史实，或有关宗教历史的史实，长期以来，一直存在着争议。丹·布朗的小说，只是用了简单武断的“渲染”，快速地下了结论，对畅销小说的行销策略而言，或许不必苛责，但在学术严谨的领域，当然会引起许多学者的抨击。

历史小说应当忠实于历史，还是可以凭作者主观任意捏造情节？这个问题，见仁见智，本来就存在着矛盾。

不可否认，《达芬奇密码》就一本通俗小说而言，是蛮好看的，尤其在前半部，充满悬疑推理的安排，使读者很容易读下去。下半部作者掉在自己解释推理的逻辑里，不可自拔，像一部拍坏的好莱坞电影。

《达芬奇密码》，有趣，好看，引人入胜，但当然谈不上“深度”。

年轻一代的朋友，如果借这本书入门，引发了兴趣，可以对达芬奇这个人一生的创造产生更多深入的探究，那么，《达芬奇密码》这本小说就有了一定的贡献。

达芬奇一生专注于自己的研究与创作，达芬奇一生不曾有过商业上的成功，达芬奇一生不曾计较被太多人了解，他在自己创造的领域，很寂寞，很孤独，但是，我想：他有他的快乐与满足，他有在巨大孤独中的自负。

阅读《达芬奇密码》时，我觉得丹·布朗少掉了一点这种孤独，小说写得太热闹，人物也就失去了深度。

这本《蒋勋谈达芬奇：忧伤的微笑》，记录了一些我对达芬奇世界的另一种领悟，看完丹·布朗小说的热闹，愿意回到达芬奇创作领域，领悟一下他的孤独和沉思的朋友，或许可以在这本书里有不同的感受。

蒋勋

二〇〇六年一月三十日写于缅甸

一个美丽的国度

Code

第一部 密码

1.
蒙娜丽莎

蒙娜丽莎谜一般的微笑下，

其实隐藏着另一张画——一个衰老男人的忧伤面容。

达芬奇为什么这样做？

那个衰老男人是达芬奇自己吗？

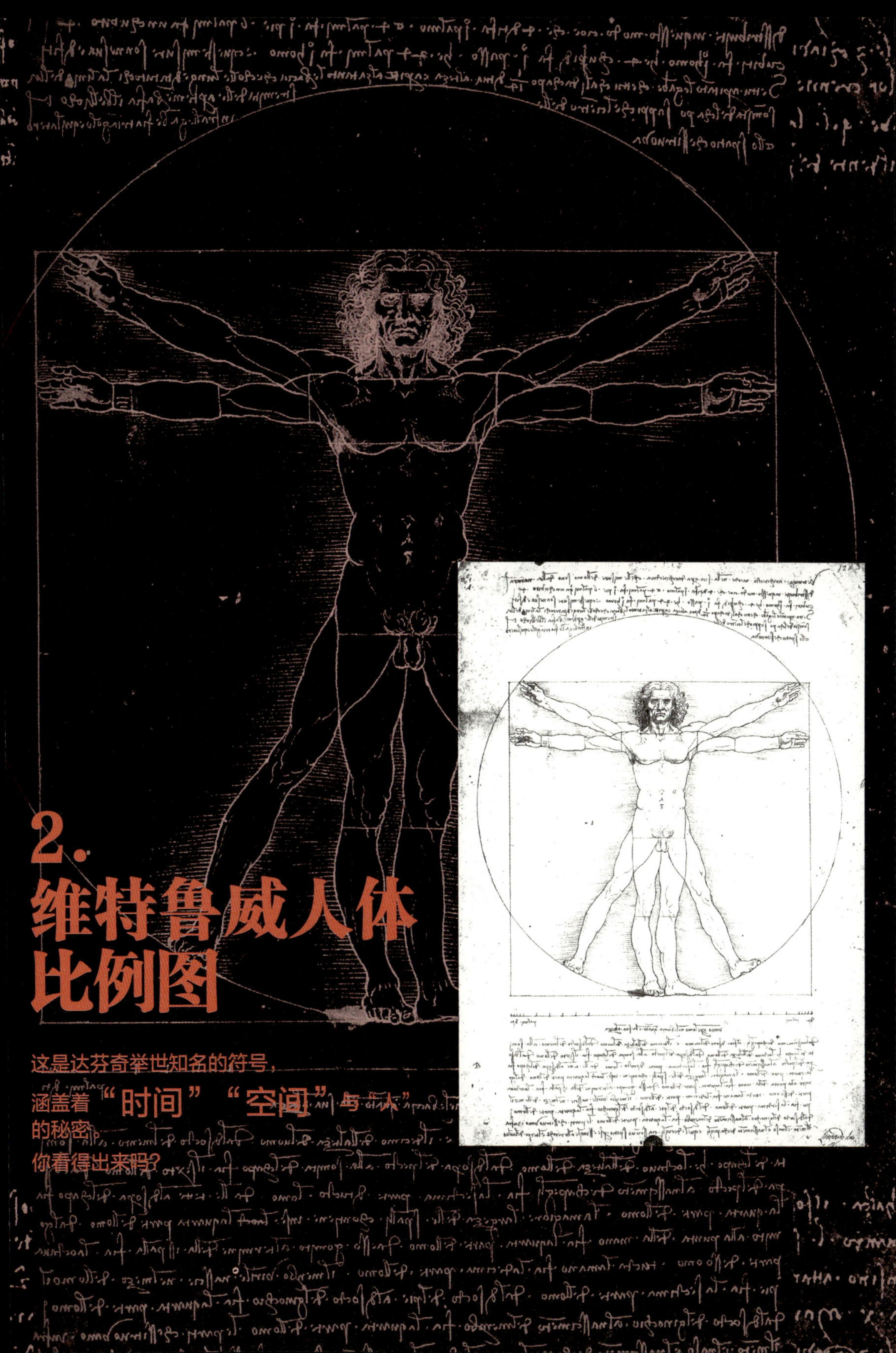

2.
维特鲁威人体比例图

这是达芬奇举世知名的符号，
涵盖着“时间”“空间”与“人”
的秘密。
你看得出来吗?

耶稣究竟被谁
他真有俗世的
达芬奇画中藏

4. 一个女人
最后的

3.
施洗约翰

什么?
这个戴着一鬈一鬈的金发、鬼魅般地笑着的男子，竟是“施洗约翰”?
达芬奇对施洗约翰在狂野的苦修、瘦骨嶙峋的容貌不会不清楚。
然而，快要走到生命尽头的达芬奇，

却画出这么**诡异**的一张“施洗约翰”。
这是达芬奇最后一件作品，也是他艺术创作的最后一个句点。
有人说达芬奇是以一名妓女为模特儿来画这张画的。
妓女与圣者! 达芬奇，他到底想说什么?

子”？

在背后持刀的手，呼之欲出?

餐

5.
岩间圣母

画里的两个婴儿，
谁是耶稣呢?
是天使用手指着的?
还是被圣母右手护卫着的那一位?

6.
抱貂的女子

画中绝美的女子，

为什么却有着一只巨大、紧张、焦虑，

甚至带着令人恐惧的杀机的右手？

7.
肉身天使

五百年前达芬奇画出“雌雄同体图”，

有着女性的乳房和男性的勃起阳具。

是表达他对俗世性别的背叛？

还是……

8.
东方三贤士的朝拜

人群朝拜圣母圣婴，达芬奇把他的自画像藏于其中。

你看到他了吗？

9.
水流素描

他凝视一滴水，在河边观看许久，
没有人会花那么久的时间看一滴水，
别人觉得他真是个疯子。
最后他写下一句话，
竟成为最早的流体力学。

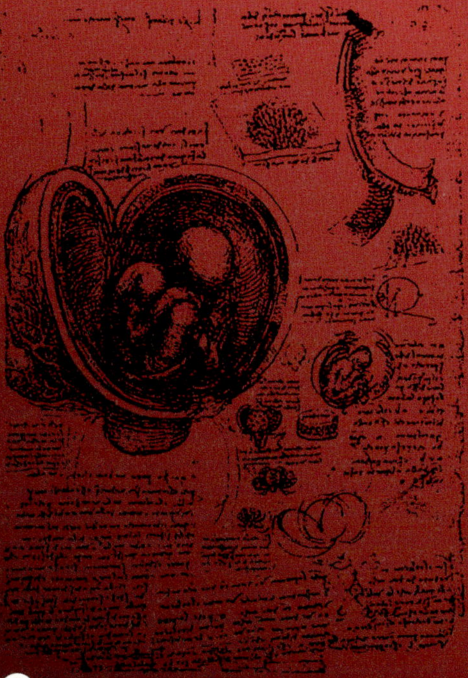

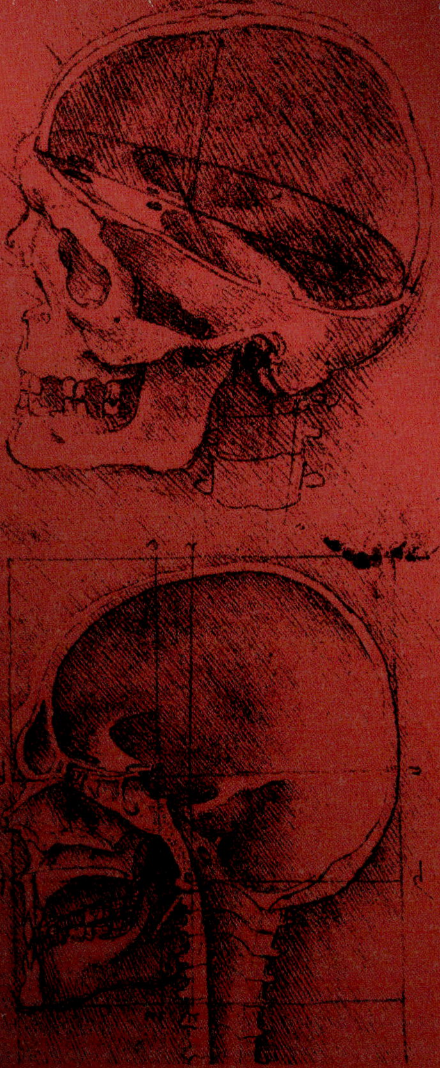

10.
解剖图

达芬奇无视道德禁忌、宗教审判，
隐秘地解剖完三十具人体之后，
写下：我都解剖完了，
“灵魂”在哪里？

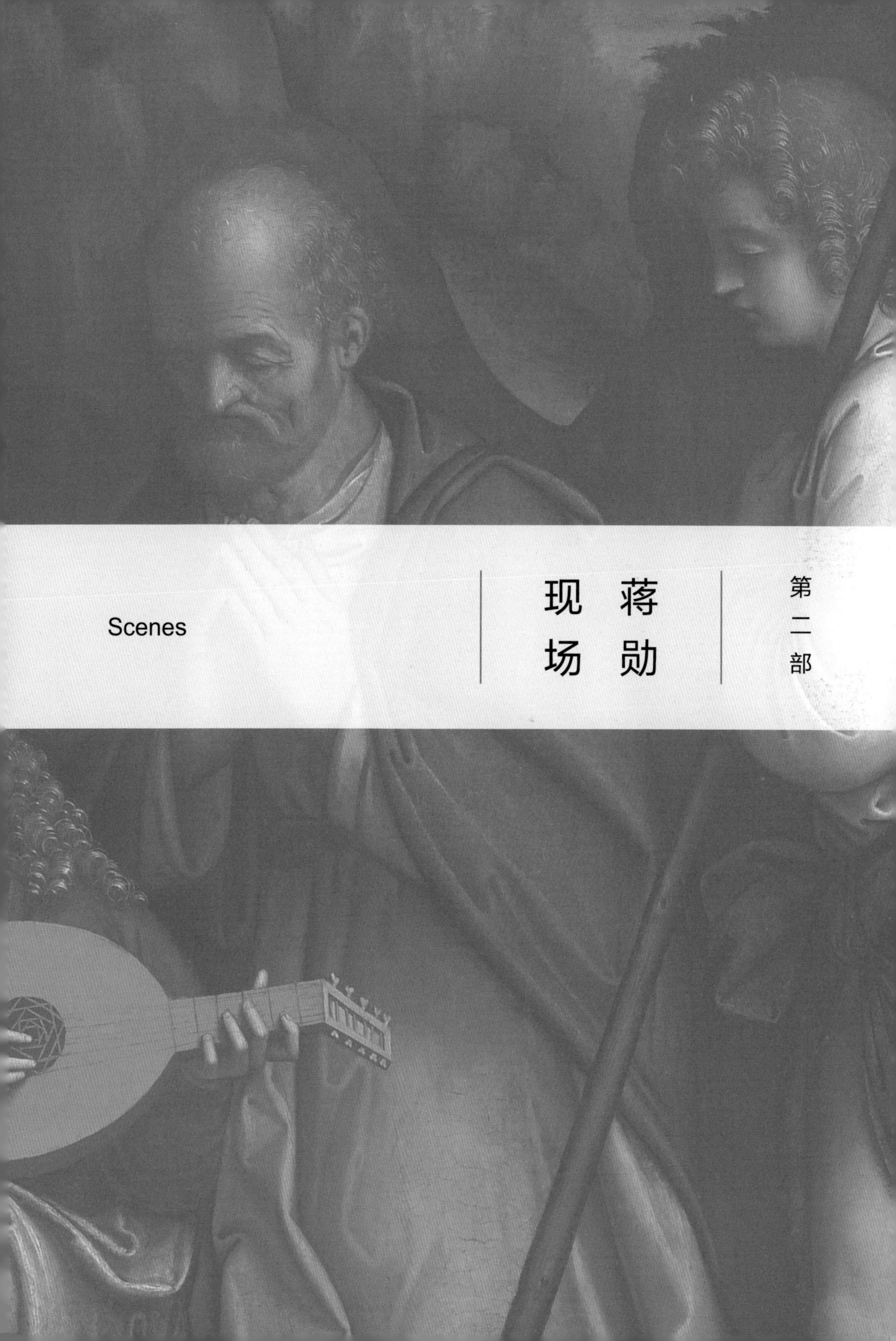

第二部

蒋勋

现场

Scenes

耶稣基督受洗图

1472—1473，木板上油彩与蛋彩
176.9×151.2 厘米
意大利佛罗伦萨，乌菲兹美术馆藏

让老师不敢再画画的学生

达芬奇十七岁时到佛罗伦萨，进入画家韦罗基奥的工作室做学徒。学徒的工作是帮助老师调颜料、制作画板、洗笔，也做石雕或铸铜的助手。

一四七二年，达芬奇二十岁的时候，他的老师韦罗基奥画了这张《耶稣基督受洗图》，并要求达芬奇在画面左下角添加两名天使。这两名天使就成了达芬奇传世最早的绘画作品。

《耶稣基督受洗图》是基督教艺术史上常见的题材之一。

依据《圣经》记载，比耶稣年长的“施洗约翰”（St. John the Baptist），苦修传道，在约旦河边用河水为人洗礼。信徒受洗，表示洗净罪恶。

有一天，耶稣也来到河边，要求受洗。

施洗约翰看着耶稣，说："你在天国是比我大的。"

耶稣回答："我的时间还没有来临。"

约翰就遵照仪式，舀起河水，从耶稣头上淋下，为耶稣施洗礼。

这时，天空出现了上帝的手，也出现了代表圣灵的鸽子。

耶稣在圣灵之光笼罩下，双手合掌，低头祈祷。下身围了一块条纹红布，站立在水中，清澈的水没过足踝。

韦罗基奥画的耶稣和手持长柄十字架的施洗约翰，代表了文艺复兴早期的人体风格，身体轮廓比较僵直，有一点像雕像。

达芬奇在左下角画的两名天使，像俊美的青少年，焕发着精神上的典雅优美，开创了文艺复兴全盛时代人物画的新风格。

两名天使，一名正面，双手交握胸前。另一名背面，头部转向右边，脸孔朝上，呼应着右上角的施洗约翰，使画面出现对角线的平衡结构。

天使的蓝色衣袍，处理出非常细致的光影，转折的衣纹下，表现出背部、腰带、臀部、大腿、膝盖内弯，以及小腿的身体变化，是最早把衣纹光影与人体解剖结合得如此完美的作品。

天使的金色鬈发轻轻飘扬，悠远望向不可知处的梦幻般的眼神，增加了画面宗教的神秘感与庄严感。

施洗约翰舀起河水，为耶稣施洗礼。

青年达芬奇在老师韦罗基奥的《耶稣基督受洗图》里画了两名天使，
青出于蓝，据说，韦罗基奥因此再也不画画了。

达芬奇初试啼声，一鸣惊人，使老师韦罗基奥自叹弗如，民间因此传说，韦罗基奥从此再也不画画了，表示达芬奇已经“青出于蓝，更胜于蓝”！

施洗约翰舀起河水，为耶稣施洗礼。

青年达芬奇在老师韦罗基奥的《耶稣基督受洗图》里画了两名天使，青出于蓝，据说，韦罗基奥因此再也不画画了。

天使报喜图

1475，木板上油彩与蛋彩

98.4×217.2 厘米

意大利佛罗伦萨，乌菲兹美术馆藏

天使告知圣母玛利亚以圣灵受孕

《天使报喜图》是基督教最重要的传统图像之一。在西方文字中常以大写字母开头写成 Annunciation。有人翻译成“受胎告知”或“圣灵受孕”。

根据《圣经》的记载，人类始祖亚当与夏娃偷吃了禁果，犯了原罪，被逐出伊甸园。他们的子孙也都世世代代会承袭始祖原罪。

基督教因此有“洗礼”（Baptism）仪式，用水清洗原罪。

但是“原罪”太重，水清洗不干净，上帝因此派遣他的独子耶稣降生人间，以钉十字架的血为人类赎罪。

耶稣降生人间，要借圣母玛利亚的处女之身。

上帝选中玛利亚圣灵受孕，派遣天使长米迦勒前去告知。

为了研究衣纹，达芬奇把布匹浸泡在稀释的石膏水中，折叠出衣纹，干了以后，用来观察光影，使人体的衣纹产生立体效果。

天使出现，宣告玛利亚将受孕怀胎，玛利亚有一点错愕，
但不失圣母的端庄优雅。

达芬奇以油画的“雾状透视法”渲染背景远山的朦胧，非常类似中国宋元水墨画的山水法。

据《圣经》记载，玛利亚已经结了婚，但是没有与丈夫约瑟同房，没有性的关系，仍然保有“处女”之身。

上帝选中了玛利亚，派遣天使长米迦勒前去告知，要借玛利亚的身体，以圣灵受孕怀胎，诞生耶稣。

玛利亚坐在椅子上，右手向前，似乎正在翻阅经书。她的左手微微向后，仿佛被突然出现的天使吓到，有一点吃惊。

圣母的灰蓝色袍子从双膝延伸到地面，光影的转折，产生非常强的立体感。

据说，达芬奇为了研究衣纹光影，把布匹浸泡在稀释的石膏水中，趁柔软时，折叠出衣纹，等石膏水干了，衣纹固定，他就一次一次以素描练习光影的凹凸转折。

左边是天使长米迦勒，背后有双翅，跪在地上，左手拿着一枝百合花，象征“圣处女”的纯洁，右手前伸，向圣母告知受孕。

天使和圣母之间，以花圃隔开，形成一层一层推向远方的空间透视，景深拉得非常远，一直到最远方的海和山，仿佛笼罩在一片迷蒙雾气中，是达芬奇创造的独特表现远影的画法，被称为“雾状透视法”。

前景中央是一张精细雕花的桌子，桌子以及建筑物墙面石砌的结构，都以精准的数字算出远近比例，帮助画面伸向极远方的景深空间。

达芬奇精通数学、几何学，以科学的方法营造视觉的远近空间，但他的“雾状透视法”，在科学的极限之外，留给视觉更多近于“诗意”的云烟苍茫，其实更近于东方的山水画，凝视这张画里的远山，恍惚间像是面对中国宋代十二世纪的水墨山水，比达芬奇早三百年的郭熙《早春图》的美学突然在西方有了知音。

上帝选中玛利亚圣灵受孕，派遣天使长米迦勒前去告知。

为了研究衣纹，达芬奇把布匹浸泡在稀释的石膏水中，折叠出衣纹，干了以后，用来观察光影，使人体的衣纹产生立体效果。

天使出现，宣告玛利亚将受孕怀胎，玛利亚有一点错愕，但不失圣母的端庄优雅。

达芬奇以油画的“雾状透视法”渲染背景远山的朦胧，非常类似中国宋元水墨画的山水法。

圣杰罗姆像

1481，木板上油彩与蛋彩
130 × 75 厘米
梵蒂冈，梵蒂冈博物馆藏

用石头击打自己苦修的男人

一四八一年，达芬奇二十九岁，计划创作《圣杰罗姆像》。

圣杰罗姆是基督教重要的圣徒，传说他居住在荒僻的旷野，译注经书，虔诚修道，过着隐士的生活，与世隔绝。

圣杰罗姆修道的方法是一种苦行，他每天手拿坚硬的石块，用力击打自己的肉体，试图借着身体的痛使心灵净化，可以摆脱欲望的纠缠。

东方与西方都有苦修的教派，借着肉体的痛苦，转移精神上更难承受的负担。

西方美术的图像上，圣杰罗姆常常被描绘成一名老人，赤身露体，孤独处于荒野之中，脚下卧着一头狮子。

狮子或许隐喻圣杰罗姆置身蛮荒的环境，但也有人认为是暗喻圣杰罗姆修道的感召，连凶猛的野兽都驯服地守在他身旁。

圣杰罗姆的主题在西方美术中常常见到，但达芬奇感兴趣的，或许不只是传统宗教故事里的圣杰罗姆，当他处理这张画时，很显然，他花了很多心血去了解一个老年男子颈脖和肩膀的肌肉结构，他透过科学的解剖，试图一步一步实验，当右手拿着石块，手臂张开，这时颈脖到肩膀、肩膀到手臂，究竟会引发了哪些筋骨、关节、肌肉的牵动变化，甚至，从锁骨、胸部肌肉、肋条的变化，也都一一被他做了最精细的研究。

以油彩和蛋彩在木板上画的这张《圣杰罗姆像》似乎并没有完成。

达芬奇常常借一张画研究一个主题，他沉迷在细节的研究过程中，常常忘了最后的“完成”。

一直到一五一〇年，大约三十年后，我们在达芬奇的手稿中还发现了他对一个老年男子举起右臂的解剖素描，素描纸上密密麻麻都是解剖学的笔记。

达芬奇不只是在画画，他传世的绘画作品不超过十二张。他似乎只是借绘画来了解他充满好奇的人的身体、空间、时间、宇宙一切存在的奥秘。

他的绘画作品不多，其绘画作品也很多没有“完成”，但是，他持续一生不曾中断的手稿，上面记录着所有他探索生命的过程，或许这才是达芬奇留给人类最弥足珍贵的财富。

为了研究圣杰罗姆右手拿石头击打身体，达芬奇持续解剖男人的颈部、肩胛、锁骨及肩膀的骨骼肌肉，原作没有完成，却留下了许多解剖学手稿。

为了研究圣杰罗姆右手拿石头击打身体，达芬奇持续解剖男人的颈部、肩胛、锁骨及肩膀的骨骼肌肉，原作没有完成，却留下了许多解剖学手稿。

东方三贤士的朝拜

1481，木板上油彩
246.7×243.5 厘米
意大利佛罗伦萨，乌菲兹美术馆藏

达芬奇自画像隐藏画中

依据《圣经》的记载，耶稣诞生的时候，伯利恒的天空出现了一颗明亮的星。在东方有三位知识广博、人品道德受人尊敬的贤士，他们看见了星，知道为人类赎罪的救世主已经来到人间，他们就相约，带着黄金、麝香、没药等珍贵礼品，从东方启程，来到伯利恒，朝拜圣婴耶稣。

《东方三贤士的朝拜》在英文中是 Adoration of the Magi，Magi 指的是古老文化里有知识、有人品的“贤者”，但也有人翻译成“博士来朝”，或“三王来朝”。

《东方三贤士的朝拜》在文艺复兴时代是欧洲美术史上特别盛行的题材。主要是因为一四〇〇年左右，欧洲的商人中产阶级崛起，他们做生意致富，常常把钱捐给教会，成为推动社会慈善工作或文化事业的重要赞助者，教会就常把他们比喻为古代以财物奉献给基督的Magi。

例如：翡冷翠（佛罗伦萨的旧译名）著名的银行家美第奇家族就曾经仿照《东方三贤士的朝拜》，把自己画在耶稣和圣母面前。

这件作品接近六平方米，是达芬奇早年构图企图心最大的一件作品。

达芬奇在画面中央安排了传统题材的圣母和圣婴。圣婴耶稣伸出左手，正在接受跪在地上一位贤士的奉献。其他两位贤士则跪在画面左下角。

圣母圣婴四周环绕着许多人，还有人骑着马赶来，仿佛要一睹圣婴的神采，蒙受神恩。

人物的表情各异，有人低头敬拜，有人怀着好奇的眼神打探，有人脸上充满惊讶，有人低头沉思。

达芬奇以环绕四周的各种人的表情动作，衬托出中央圣母圣婴主题的崇高庄严。

在这一群人中，站在最右侧的一位俊美的年轻人，转头看着画面外，和所有人的视线相反，他的焦点不在圣婴身上，却似乎另有其他的关心。这个俊美的男子，许多学者认为是达芬奇二十九岁青年时代的自画像。

当时的画家都有把自己画在画面一角的习惯，只是达芬奇在这里的出现，有点置身事外，他好像不愿投身在世俗的热闹中，他仿佛想孤独地离去，他仿佛听到了

达芬奇二十九岁，站在自己作品的边缘，凝视着画的外面，
他，俊美、年轻，他似乎在看着自己生命的未来。

圣母圣婴四周围满了人，还有人骑着马赶来，为蒙受神恩。

《东方三贤士的朝拜》也是未完成的作品，但是为了解决两重楼梯和拱门的空间景深，达芬奇做了许多有关三度空间透视图的手稿。

什么神秘的声音在召唤他，他画的自画像，不只是他的形貌，也是他内在深处的心灵状态吧！

这张大画的后方有两座楼梯，与绘画主题无关，却是达芬奇实验透视法（Perspective）的刻意安排，两座楼梯等长等高，却因为远近，形成不同比例的空间层次。

达芬奇二十九岁，站在自己作品的边缘，凝视着画的外面，他，俊美、年轻，他似乎在看着自己生命的未来。

圣母圣婴四周围满了人，还有人骑着马赶来，为蒙受神恩。

《东方三贤士的朝拜》也是未完成的作品，但是为了解决两重楼梯和拱门的空间景深，达芬奇做了许多有关三度空间透视图的手稿。

抱貂的女子

1483—1490，木板上油彩
56.2×40.3 厘米
波兰克拉科夫，扎托里斯基博物馆藏

公爵的情妇加勒兰妮

三十岁，达芬奇到米兰，在米兰住了十八年，为史佛萨公爵工作，设计武器，设计城堡、堤防、水坝等土木设施，也设计乐器，或宴会时的烟火。这一段时间他认识了公爵最宠爱的一位情妇加勒兰妮，为她画了这张精彩绝伦的肖像画。

文艺复兴以前，欧洲大多的人物画几乎都是基督教圣人或圣徒。现实人物的肖像画，起源比较晚。

文艺复兴的画家，从对“神”的关心，转变到表现现实生活中的“人”，是美术史的重大转折。

达芬奇面对着一个美丽女子，她不是“神”，是人间的“凡人”，但是，她如此美丽、典雅、雍容，焕发出如同“神”一般的光。

达芬奇以一张肖像画留下了整个时代的人文精神，仿佛时间静止在这女子淡淡的笑容中，永远不再消逝。

这个女子如此美，美到使人凝视，使人舍不得转移视线。美是一种不可解的着迷，好像到了理性无法分析的状态。

达芬奇是同性恋，他一生交往的性或爱的对象都是男性，但是他却画出了历史上最美的女性。

加勒兰妮怀抱着一头驯顺的白银鼠，“银鼠”是史佛萨家族的徽帜，“银鼠”也是仁慈之兽，象征柔顺慈祥，或许有多重隐喻。

加勒兰妮微微转头，朝向远方，好像眺望到生命的另一端。她如此青春、美貌，荣华宝贵，又备受宠爱，然而，她望向的生命另一端会是什么？

达芬奇使加勒兰妮浮在暗黑的背景中，像一个华美又感伤的梦。

在现实世界里，达芬奇始终没有女性的缘分。

他是私生子，亲生母亲被隔离，几位继母与他的关系都不好。

童年时母亲的缺席，却使达芬奇一直试图在艺术创作里完成梦想中最美丽、和善、慈蔼的女性，加勒兰妮如此，以后的蒙娜丽莎也如此。

美，竟是现实之外的另一种救赎和补偿吗？

但是，这张画里，加勒兰妮的右手，显然和脸部的美不同，这只手巨大、紧张、焦虑，甚至带着令人恐惧的杀机，这只手透露了达芬奇潜意识中与女性的不和谐关系吗？达芬奇的画，不只是艺术杰作，也成为心理学家争相分析解读的对象。

一名美丽的女子，怀抱着银鼠，她应该驯顺温柔的手，却透露着不可解的冷酷的杀机，达芬奇借着这一只手隐喻着生命底层的焦虑或不安吗？

一名美丽的女子，怀抱着银鼠，她应该驯顺温柔的手，却透露着不可解的冷酷的杀机，
达芬奇借着这一只手隐喻着生命底层的焦虑或不安吗？

岩间圣母

1483—1508，帆布上油彩（原本是在木板上）
198.1×123.2 厘米 / 189.5×120 厘米
法国巴黎，卢浮宫藏 / 英国伦敦，国家画廊藏

圣母、圣婴、施洗约翰、天使

达芬奇画的《岩间圣母》有两幅，一幅在巴黎卢浮宫，一幅在伦敦的国家画廊。两幅画的主题相同，人物的位置也大致类似，只有小部分的修正，比较两幅画的异同，也许是一种特殊的经验。

画家重复处理同一主题，出现多幅作品的情形并不少见。有时是因为业主不满意，要求重画；有时也可能画家自己觉得需要修正，或用不同角度再处理一次。

达芬奇在绘画创作上关心的并不是“完成度”，往往反而更强调思考的过程。他在同一主题上反复推敲、探索、修改的过程，也往往比一般画家更复杂。

《岩间圣母》是他盛年时代最关切的主题，婴儿时代的耶稣和施洗约翰，也数次

出现在他的创作中。

西洋美术史中，处理耶稣婴儿时的“圣婴”主题的画很多，但是处理施洗约翰为婴儿状态的画很少，达芬奇为什么数次处理施洗约翰的婴儿图像？达芬奇最后一张画也是在处理施洗约翰，而且处理的形式大异常态，达芬奇对施洗约翰为什么情有独钟？施洗约翰对达芬奇有特别隐喻的意义吗？

在这张充满“谜语”的《岩间圣母》中，天使脸上透露着神秘的笑容。他用手指着一个婴儿，这个婴儿是耶稣吗？以婴儿所在的位置，被圣母右手护卫着，应该是耶稣。但是，婴儿跪在地上，双手交握，朝拜另一位婴儿，这个姿势，显然表示这个婴孩是施洗约翰，天使旁边的那位圣婴才是耶稣。耶稣伸出两只手指，正在向施洗约翰祝福。

在另外一幅《岩间圣母》中，施洗约翰手中加了一个长柄十字架，他的角色就明显多了，而天使也不再伸出手指，减少了画面的神秘感。

达芬奇显然在这幅《岩间圣母》中置放了更多隐喻和暗示，增强了画面猜谜般的层次趣味。

《岩间圣母》把四个人物放置在荒野中，地面上花草的处理非常精细，每一株草叶上似乎都反射着夕阳金黄色的光，圣母腰带的金黄色也像绚烂却又充满感伤的黄昏的光。

画面后方的山水背景更是西方绘画中少见的幽深神秘风景，雾状透视一直伸向不可知的视觉极限，好像宇宙空洞的回声，一阵一阵在画中荡开。

达芬奇显然在《岩间圣母》中隐藏了他的心事，他希望有人可以解读他的心事。但可惜，所有的“解读”都还无法真正破解他的密码。

岩间圣母　1483—1485

帆布上油彩（原本是在木板上），198.1×123.2 厘米，法国巴黎，卢浮宫藏。

岩间圣母　1495—1499，1506—1508

帆布上油彩（原本是在木板上），189.5×120 厘米，英国伦敦，国家画廊藏。

生殖解剖图

生殖解剖——科学没有道德偏见

达芬奇有关解剖学的手稿非常多，包括了消化系统的解剖，包括呼吸系统的解剖，包括血液循环，包括心脏，包括脑和视神经系统。

如果从画家的需要而言，达芬奇或许只要研究人体的骨骼与肌肉的解剖就足够了解绘画的问题了。

显然，达芬奇研究解剖学，并不只是为了绘画。

他更关心人体的构造，他更关心人体的奥秘。

他因此也解剖了女性的子宫，解剖了子宫中的胎儿。

他想知道生命的起源。

胎儿还不是起源。

他解剖了女性的生殖器官，他也解剖了男性的生殖器官。

在基督教会严厉的禁令下，他无视于道德禁忌，无视于宗教审判的残酷，他解剖了男性和女性交媾时的器官。

他一次又一次图绘男性勃起的阳具，描绘阳具和女性阴户结合的状况。五百年后仍然可能触目惊心的图像，达芬奇以科学的态度一一做了最精细的描绘与记录，他远远超越了他的时代，在科学的领域，他没有禁忌，没有道德的偏见。

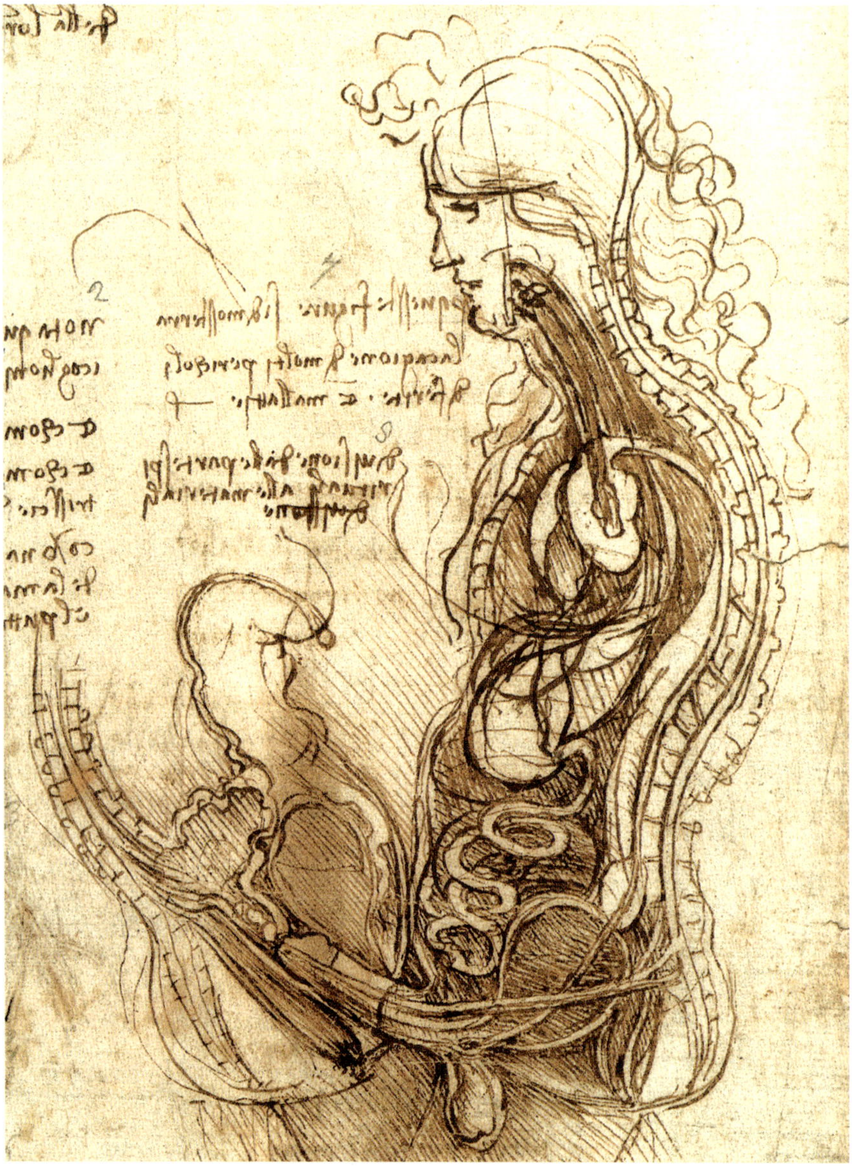

性交解剖研究　约 1510

钢笔与墨水（十九世纪黑铅笔编号），27.5×20.5 厘米，英国温莎，皇家图书馆藏。

达芬奇对生命的起源深感好奇，他的手稿中打破教会禁忌，探讨性的交合。

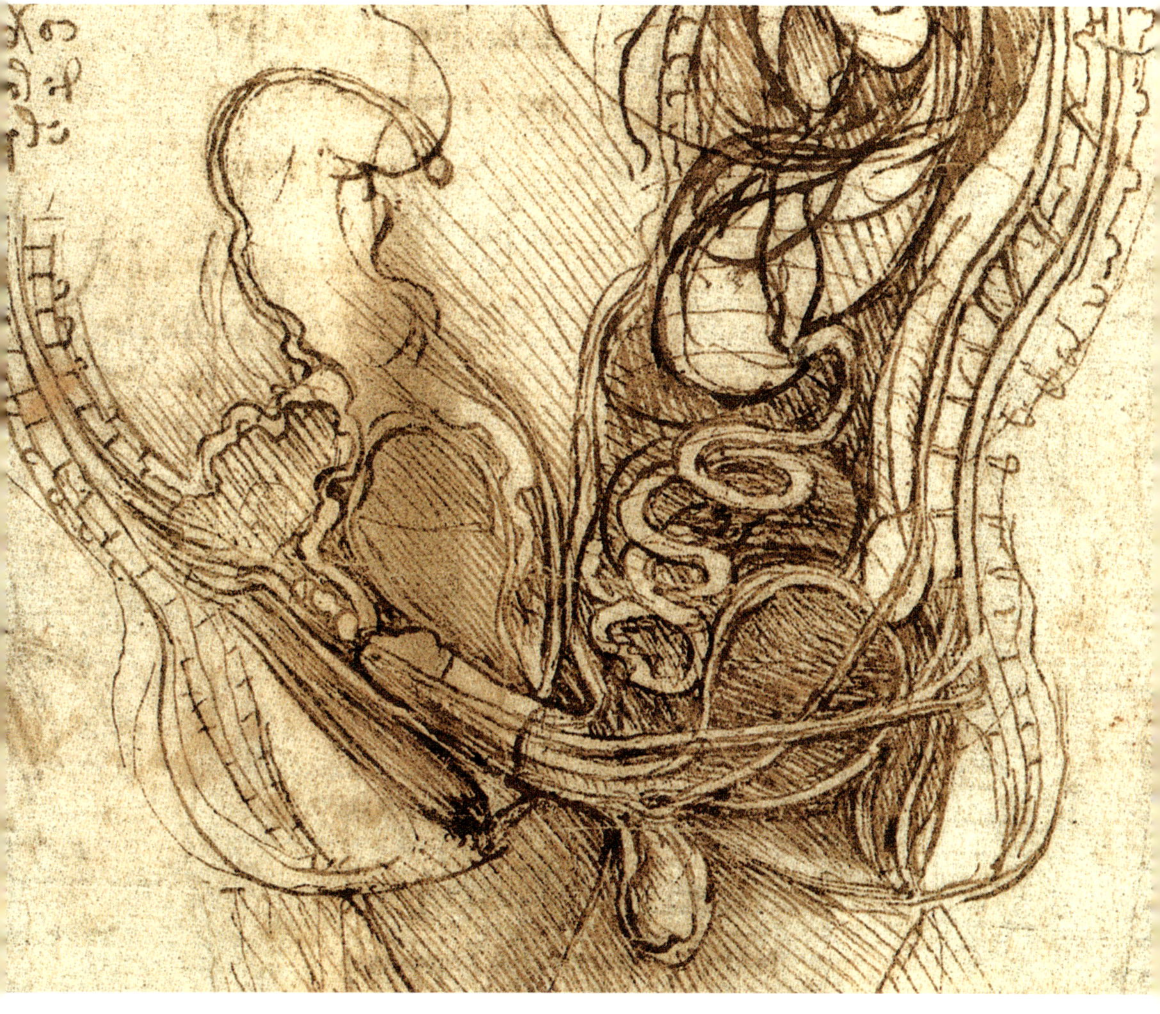

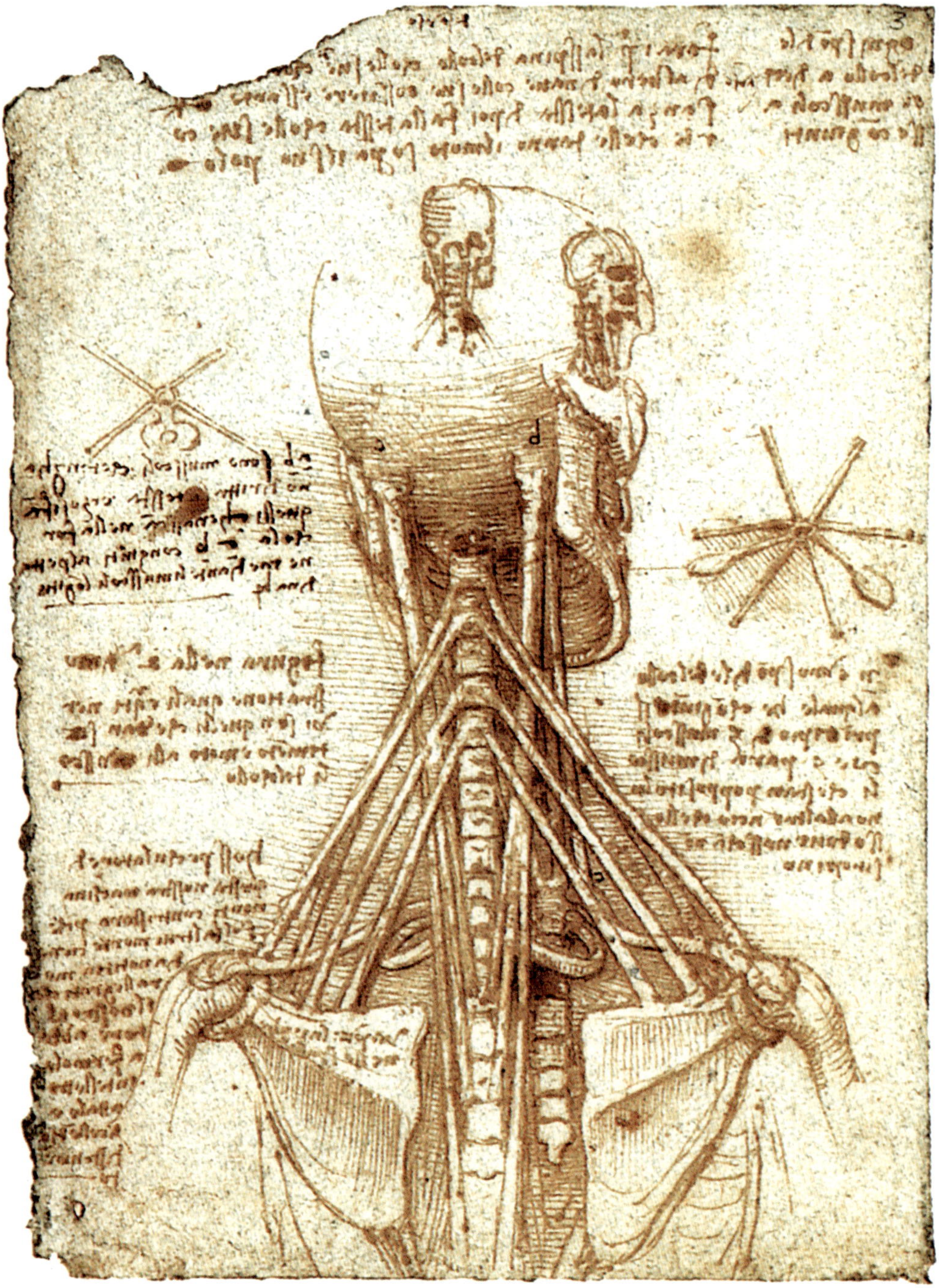

颈部肌肉解剖研究　约 1510

钢笔与墨水，蓝色纸，27.6×21 厘米，英国温莎，皇家图书馆藏。

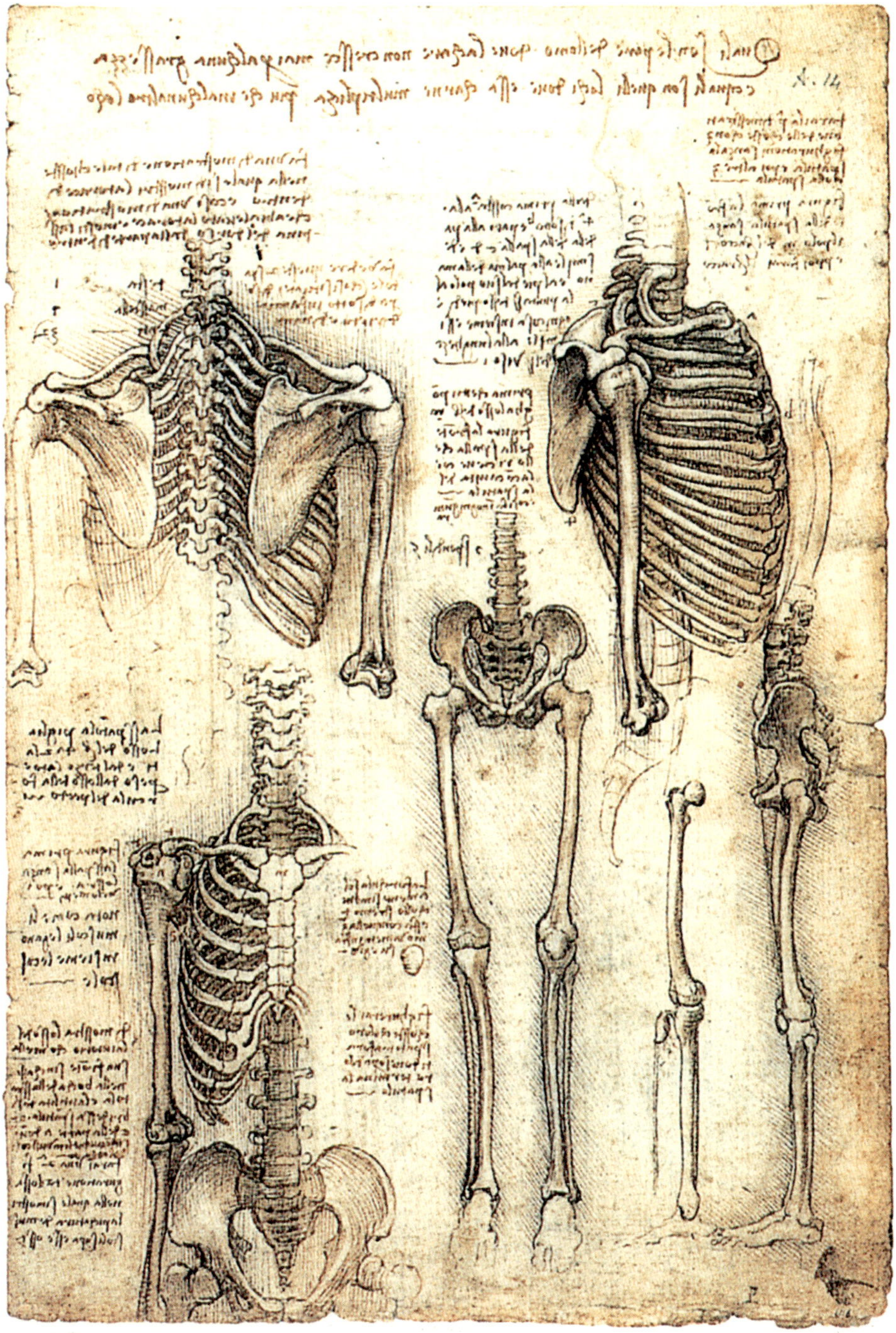

骨骼系统解剖研究　1510

钢笔与褐色墨水，29×20 厘米，英国温莎，皇家图书馆藏。

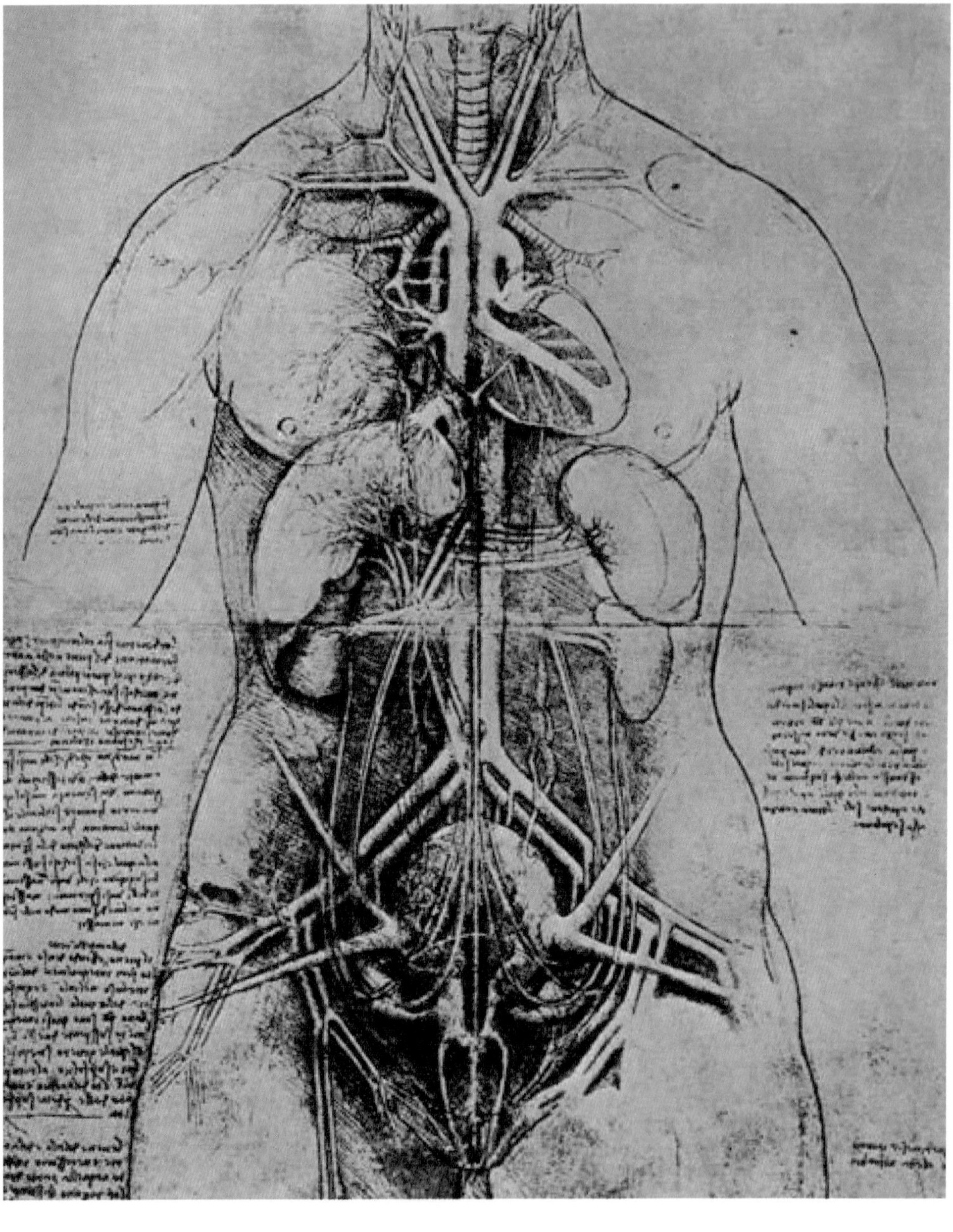

女性的主要器官血管和泌尿生殖器官

子宫解剖

1510—1513，钢笔与红色粉笔
30.1×21.3 厘米
英国温莎，皇家图书馆藏

幽暗中萌芽的生命

达芬奇手稿中有极重要一部分在观察、记录、研究思考生命起源的奥秘。

当时基督教会的主流思潮宣称：人类是上帝所造！

达芬奇却通过解剖学了解人类身体复杂的构造。

他解剖怀孕时死去的妇人，他打开女性的子宫，观察蜷缩在母胎中尚未诞生的婴儿。婴儿蜷缩盘曲，缠绕着脐带，仿佛沉睡在幽暗中的植物的种子里的胚胎。

达芬奇在子宫解剖图的下方也图绘了植物的种子。他不只是关心人类的诞生，他关心一切生命的起源。他想了解，从一粒植物种子，到人类的胎儿，生命的萌芽，有多少相似之处。

达芬奇的手稿，用图绘，也用文字，一点一点揭开生命被禁闭的密码。

人类生活在愚昧无知中，打不开生命的密码，往往是自己对身体充满了禁忌，对生命充满了主观的、先入为主的偏见。一张残破泛黄的达芬奇手稿，五百年后仍然使人震动，仍然使我们反省：自己是否还存在太多禁忌、主观、偏见。我们仍然像蜷缩在幽暗中的胚胎，等待被唤醒。

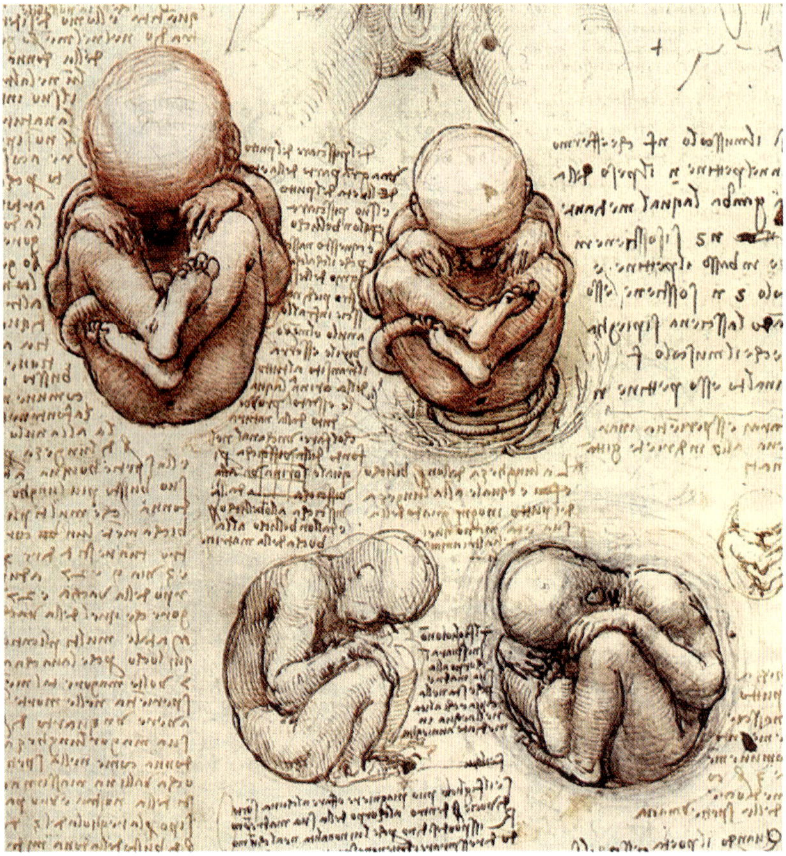

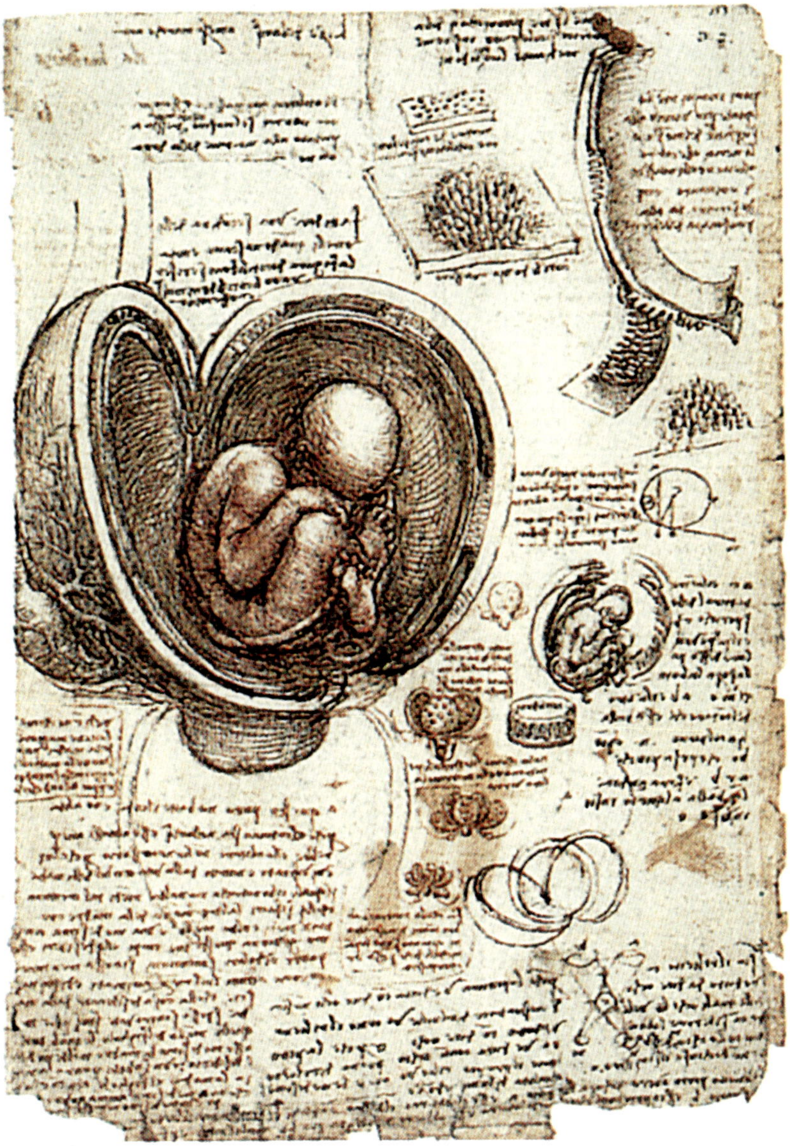

胚胎成长解剖研究

婴儿蜷缩在子宫中，如同植物种子硬壳中的胚芽。

最后的晚餐

1495—1497，油彩与蛋彩的混合颜料，壁画
422×904 厘米
意大利米兰，圣玛利亚感恩教堂的餐厅

预知死亡的巨作

如果生命预知死亡即将来临，会有什么样的表情？

《最后的晚餐》是一幅预知死亡的伟大巨作，在九〇四厘米长的墙壁上，图绘了十三个表情各异的人物。

绘制这件壁画时，达芬奇常常一整天徘徊在米兰街头，他凝视街上每一个人的脸孔。男的、女的、少年的、苍老的，忧愁的或喜悦的，开朗欢笑的或面容沉重悲哀的。

这么多不同的人的面孔，用同样的五官元素组成，却差异这么大。

达芬奇解剖人的尸体，为了在科学上精准掌握人的物理组织。

但是，人的存在不全然只是“物理”。

达芬奇在解剖完三十具人体之后，在他的手稿中写下这样的句子：我都解剖完了，“灵魂”究竟在哪里？

达芬奇似乎相信：除了物理性的存在，人类还有一个精神存在的空间。

他一定也想知道：人类物质性的肉体死亡之后，有没有一个属于“精神性”的存在？

那个亘古以来人类说的“灵魂”，究竟在哪里？

《最后的晚餐》原来只是基督教《圣经》传述有关耶稣预知死亡的事件，他在被钉上十字架以前，最后一次与十二位门徒一起吃晚餐。

达芬奇把宗教的主题扩大成为普遍的哲学命题。

达芬奇把每一个人邀请到“晚餐”的桌上，他要每一个人省思，死亡来临是必然，死亡来临时，我们会有什么样的反应？

《最后的晚餐》运用了最严格的透视法，使如此巨大的画面，结构一丝不苟，墙面上向后退远的长方形，天花板的方格，餐桌上的食物、餐具，甚至画面没有被破坏以前，桌子下面耶稣的脚，每一个物件，都经过几何学的精密计算，放置在准确位置，构成上下左右向中央点集中的透视法的绝对构图。

在达芬奇以前，从来没有画家把数学的透视法用在如此巨大的构图计划里。

《最后的晚餐》是一个舞台，十三个人全部坐在同一面吃饭用餐，根本不合理，只是，达芬奇要绘画的已经不是一场“晚餐”，而是一个生命不可逃避的宿命主题——死亡。

我们都被设计在这幅巨作中，我们不妨在里面找一找自己。

《最后的晚餐》是预知死亡的伟大巨作，达芬奇图绘了十三个表情各异的人物。

《最后的晚餐》是预知死亡的伟大巨作，达芬奇图绘了十三个表情各异的人物。

最后的晚餐习作　1495—1497

素描，26×39 厘米

飞行理论之父

1508，钢笔与墨水

31×21.5 厘米

法国巴黎，法国协会图书馆藏

飞起来的梦想，飞起来的科学

达芬奇一直梦想着飞行，他和所有的儿童一样，曾经仰面观看天上飞过的禽鸟，充满了好奇，也充满了向往。

达芬奇手稿里有蝙蝠的飞翔解剖图，他好奇蝙蝠的飞翔和鸟类有什么不同。

他开始观察蝙蝠飞行时翅翼的状态，与鸟类翅翼振动频率的不同。

他记录了不同鸟类翅翼羽毛的构造，解剖这些羽毛张开和收合时的关节变化。

他设计了许多模仿鸟类翅翼的零件，用木结构支架可以伸缩的翅，上面张着帆布。

他研究起飞时的推动器的结构，他也研究降落时如何收合翅翼，如何煞住速度，如何用滑轮滚动……所有的细节。

他甚至设计了降落伞，一个角锥状的帆布伞盖，垂挂着一个人体，他测量了人体重量和伞盖张开时承重的力量。

达芬奇在飞行的实验上一次一次失败。

但是他留下许多许多详细的飞行手稿，包括草图和文字记录，使他赢得了“飞行理论之父”的称号。

达芬奇在一次失败的实验之后，在手稿上记录：我对空气压力的研究还不够。

人类最后终于飞起来了，从飞行的梦想，到飞行的科学，人类通过了长达数千年的努力。

达芬奇是使飞行从梦想变成科学的重要关键。

他的飞行手稿奠定了西方飞行研究的基础。

达芬奇的“密码”或许很单纯，一个是“梦想”，一个是“科学”。有这两张翅翼，人类就可以飞起来了。

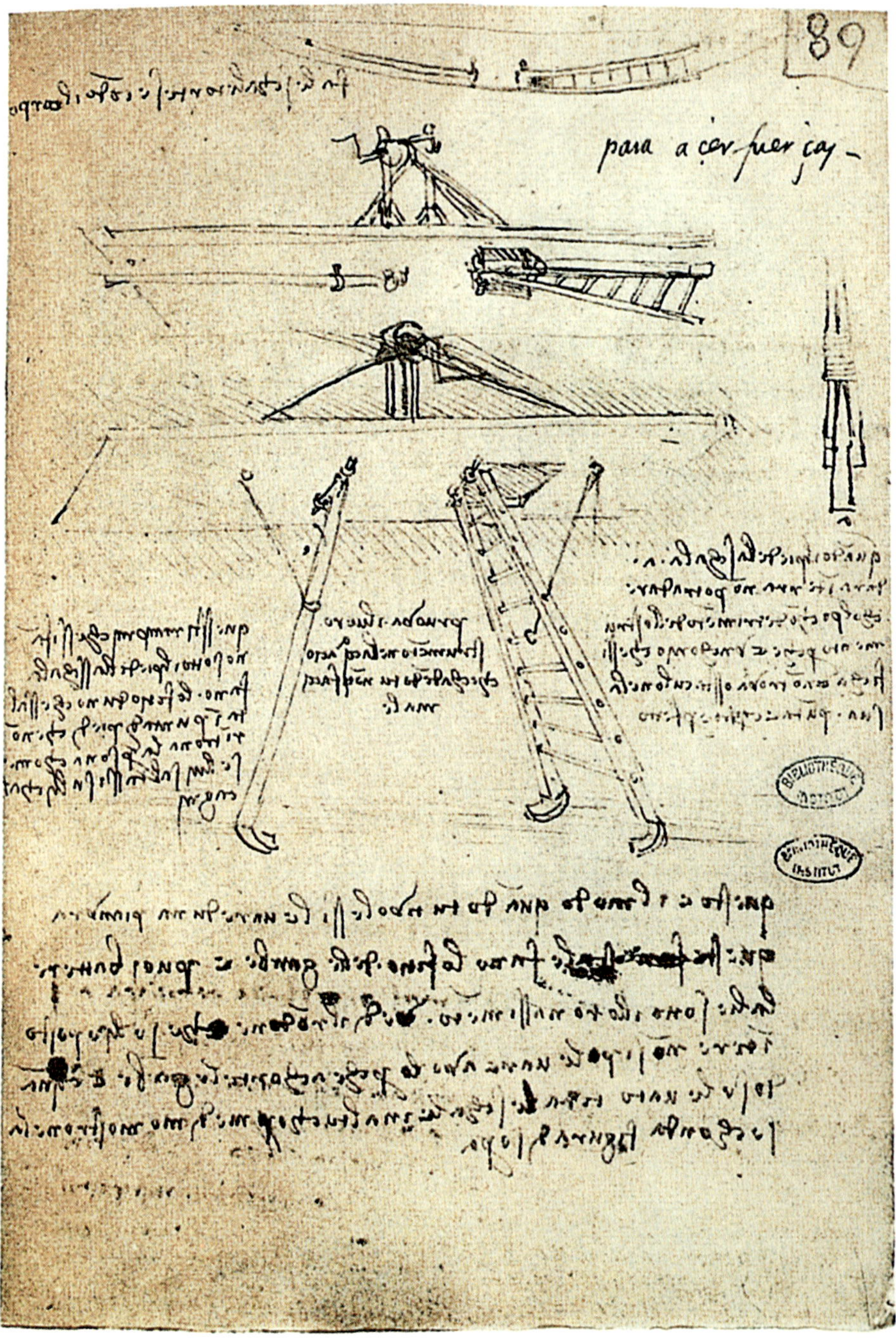
89
para a cer fuer ça -

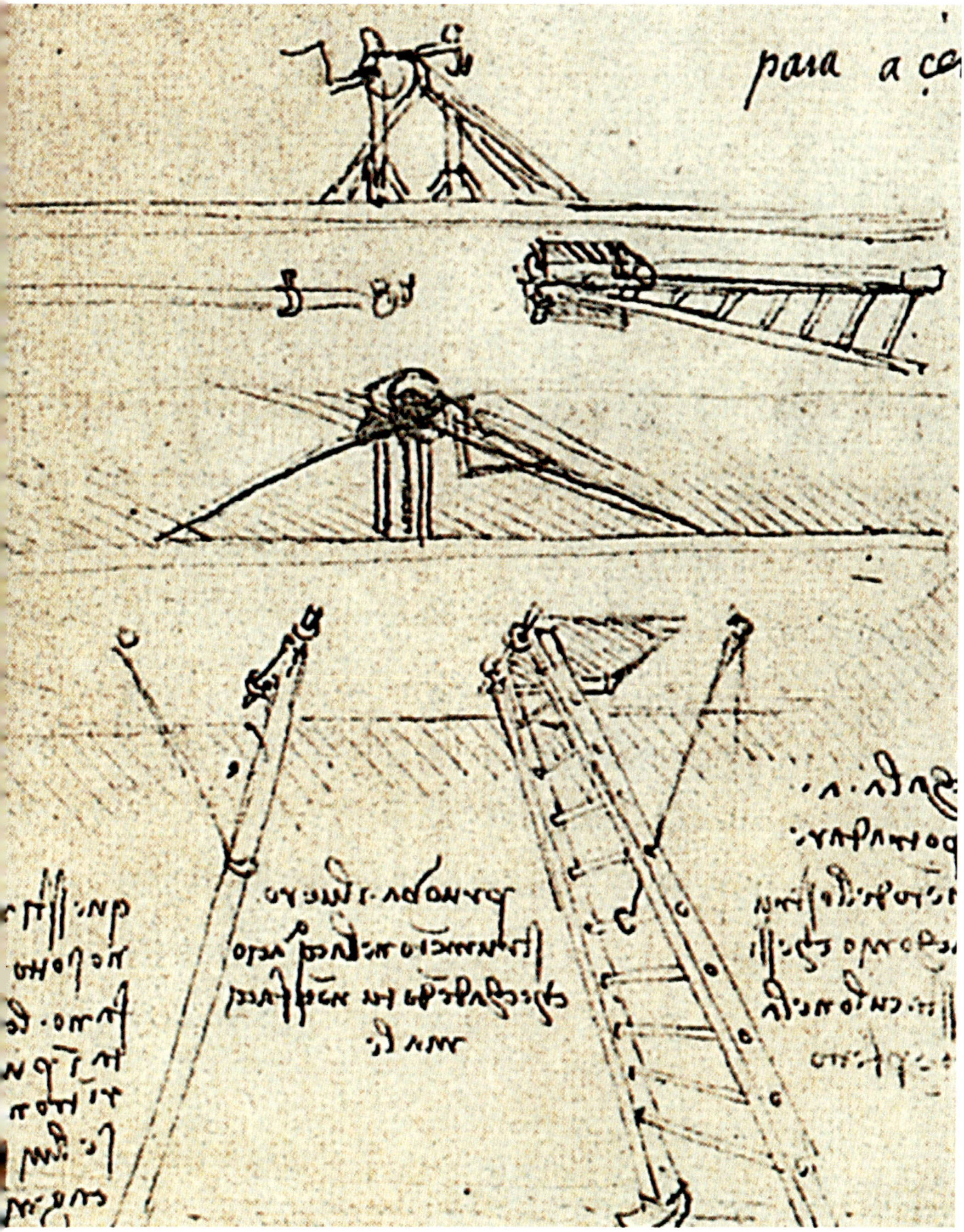
para a

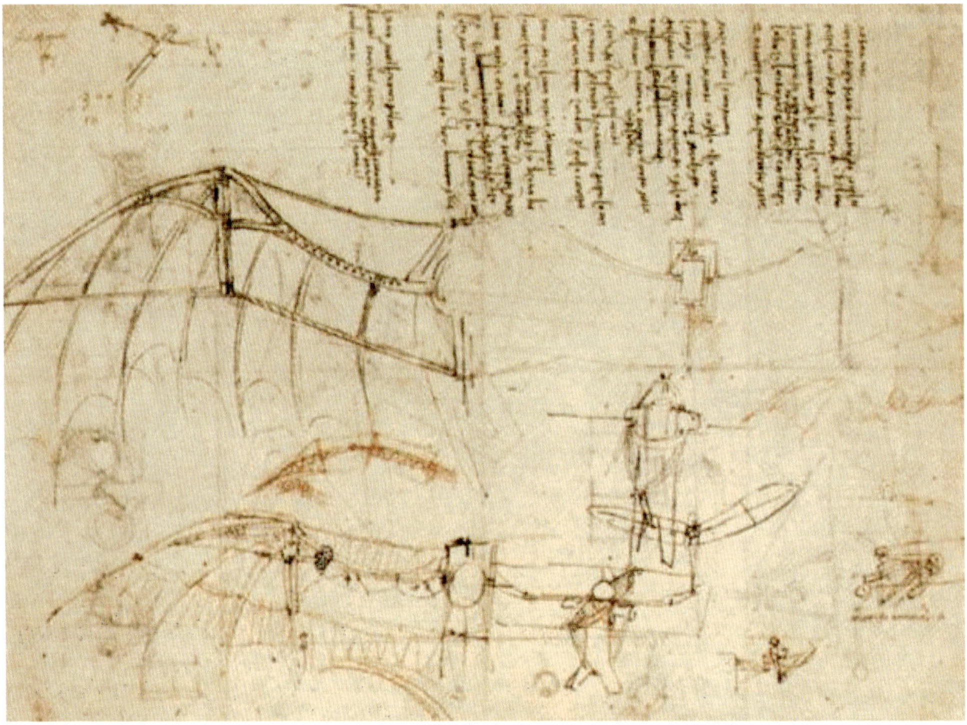

飞行机器设计图

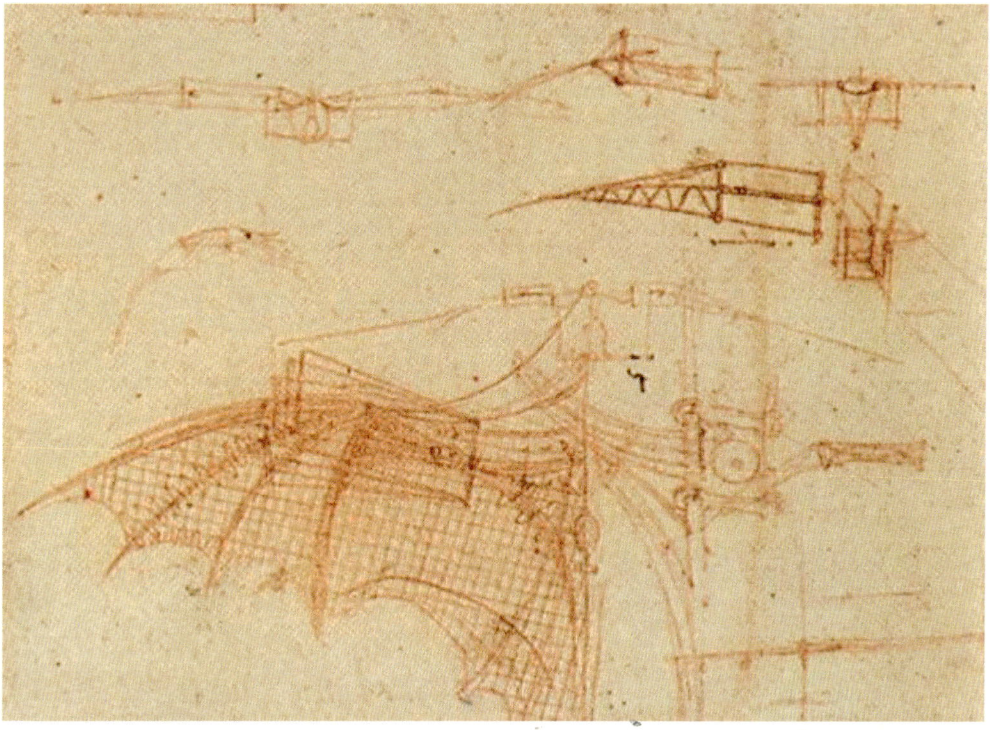

维特鲁威人体比例图

1490，钢笔、墨水与淡水彩、银点底
34.4×24.5 厘米
意大利威尼斯，艺术学院藏

古希腊的雕刻和建筑里都讲究比例的精准。

美术史上常常说“黄金分割”，或“黄金律”。

人们相信宇宙中万事万物都有一定的秩序，看来混乱，只要掌握到秩序的规则，也就掌握了宇宙。

“秩序”“规则”“比例”都是一种数学。

印度教《吠陀经》重视“零”，“零”是一切的未开始。

中国古代重视“三”，“三”是多数。中国古代也重视“九”，“九”是数的极限，过了“九”就归“零”，因此皇帝是“九九”至尊。

古代希腊相信人体的“美”，有客观的比例规则，因此早期雕像，头部和身体的比例常常是一比六，后期则演变为一比七。

掌握到“比例”的准确，可以掌握到“美”，因此“比例”非常珍贵，被冠上“黄金比例”的称呼。

维特鲁威（Vitruvius）是罗马时代的艺术家，他总结了古希腊的人体比例研究，撰述了集大成的人体美学论著。

基督教兴起，人体成为禁忌，长达一千年，维特鲁威的著作被束之高阁，没有人阅读。

一四九〇年，达芬奇重新整理维特鲁威的论著，依据人体比例规则，图绘了这张人体比例图。

一个男子的裸体，张开双手，双手抵达方形边框的边缘，张开双脚，双脚踩踏圆形外框的边缘。

达芬奇在圆形和方形中试图找到“人”的定位。

有点像东方汉代的“规”与“矩”，“规”是圆规，“矩”是矩尺。汉代相信“天圆地方”，因此用“规”“矩”来定位“人”。

达芬奇在人体比例图里用人体上的许多线寻找比例关系，双肩的宽度，锁骨到乳线的距离，肩至肘的长度，肘至腕的长度，会阴至膝关节，膝关节至脚掌……人体的每一部分都在“规”与“矩”的比例中。

会阴在正方形的正中央，“方”像一个人所占有的空间，汉代叫做“宇”，指上下四方；“圆”是人体外围循环的“时间”，汉代叫做“宙”，指古往今来。

“宇宙”正是包围着每一个人的“空间”与“时间”。

达芬奇在这张人体比例图里说：“完美的人，是衡量宇宙的尺度。”

这句话很像孟子说的：“万物皆备于我，返身而诚。”

达芬奇的人体比例图不只是一件美术作品，更是人类史上寻找人类定位意义的哲学杰作。

约1490年，34.4×24.5厘米，意大利威尼斯，艺术学院藏。

达芬奇借助古代罗马艺术家维特鲁威的理论，创作了《人体比例图》，他相信完美的人的身体，即是衡量宇宙尺度的标准。

丹·布朗如何解读“维特鲁威人”

丹·布朗《达芬奇密码》的第八章，非常聪明地以《维特鲁威人体比例图》这一世界知名的达芬奇手稿，安排了小说人物卢浮宫馆长的死亡形象。

“在生命的最后时刻，馆长脱光了衣服，把自己的身体摆成一幅达芬奇素描《维特鲁威人体比例图》的样子。”

约1490年，34.4×24.5厘米，意大利威尼斯，艺术学院藏。
达芬奇借助古代罗马艺术家维特鲁威的理论，创作了《人体比例图》，他相信完美的人的身体，即是衡量宇宙尺度的标准。

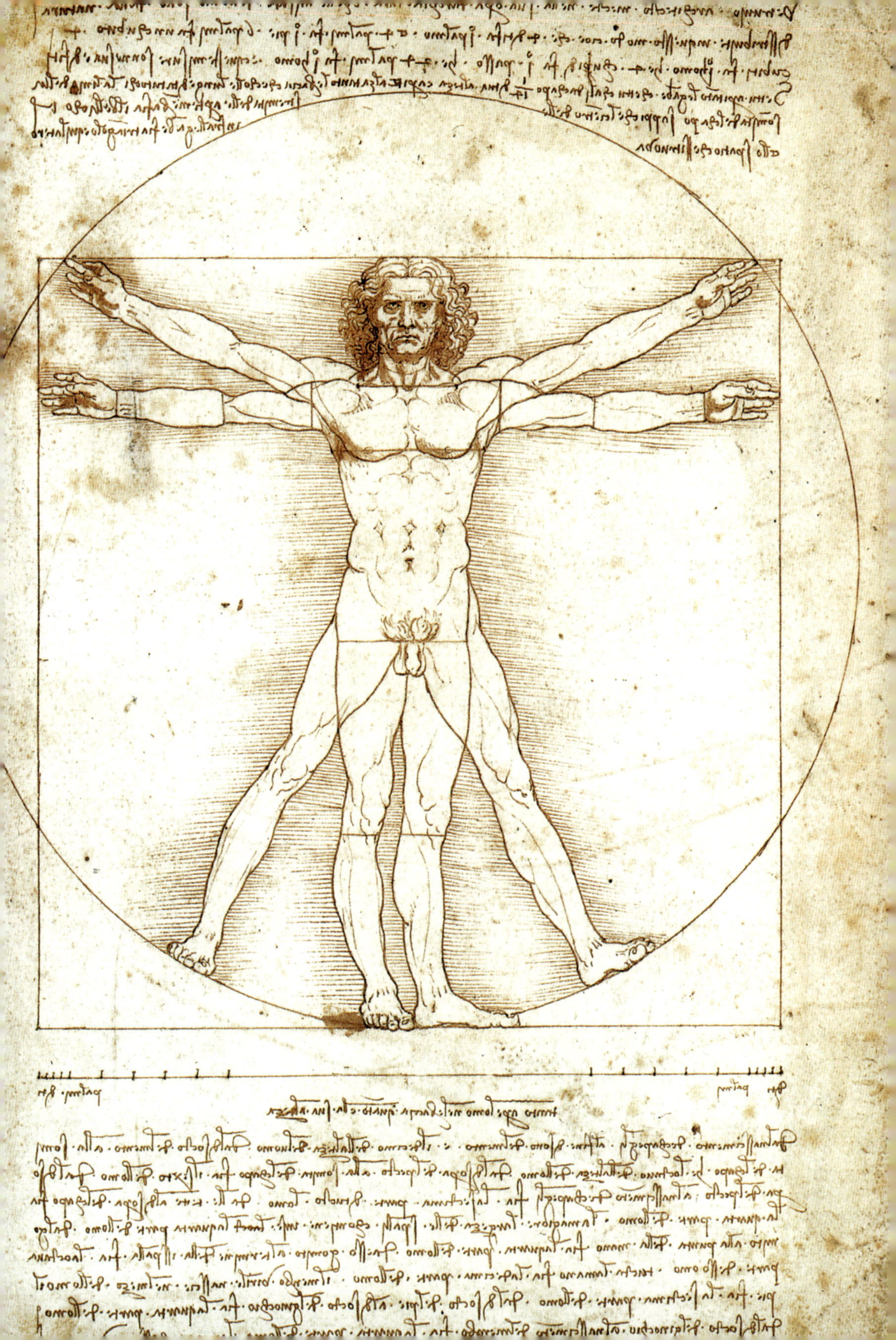

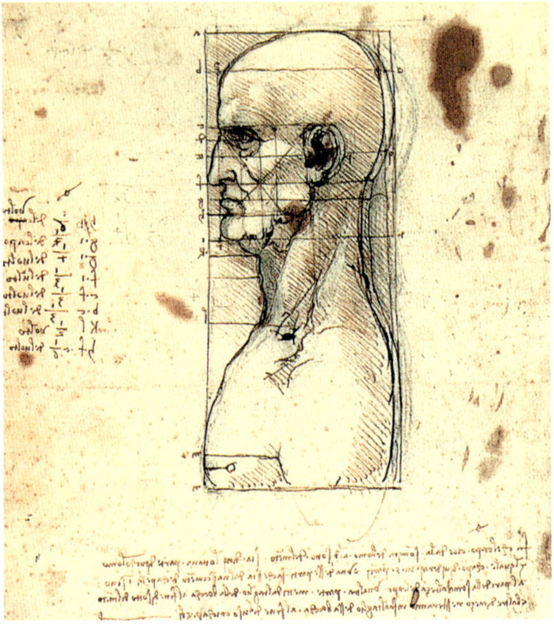

男人侧面像　1490

钢笔、多种墨水、银点、红色与黑色粉笔，
28×22.2 厘米，意大利威尼斯，艺术学院藏。

小说的悬疑、耸动，情节的诡谲，都从这里开始。

一个全世界最知名的符号，被运用在商业小说之中，当然增加了认识这个符号的读者阅读的兴趣。但是对解读达芬奇这件举世名作而言，却不能有太大帮助。

也许，丹·布朗的《达芬奇密码》，对从来不认识达芬奇的读者，会是一本很好的引发兴趣的入门书吧！

已经改拍成电影的《达芬奇密码》一定有更令人印象深刻的画面，脱光衣服的男人，张开的四肢，荧光笔画的圆，通过这么耸动的叙述，读者或影迷，还能够安静下来，细细沉思达芬奇《维特鲁威人体比例图》的真正含义吗？

或者，可以脱去自己的衣服，再一次了解这么难得的身体，是否有达芬奇渴望传达的“完美”意义。

机枪设计图

机械原理，或杀人武器？

在城邦争霸的时代，达芬奇对美学，对哲学，对生命，对宇宙的深沉思考，对许多握有权力的霸主而言，或许都太遥远了。

霸主们关心眼前政治的输赢，关心战争，关心如何攻城略地，如何可以更快速地杀更多的人。

达芬奇在机械发明方面的才能因此被看重了。

霸主们提供许多人力物力资源，供给他研究枪械，研究可以快速连发的炮，研究攻城的机械云梯，研究外覆铁甲的战车，研究带着旋转镰刀的马车，巨大弩箭。

霸主们关心如何杀更多的人，如何赢得战争；达芬奇关心的是机械原理功能性的

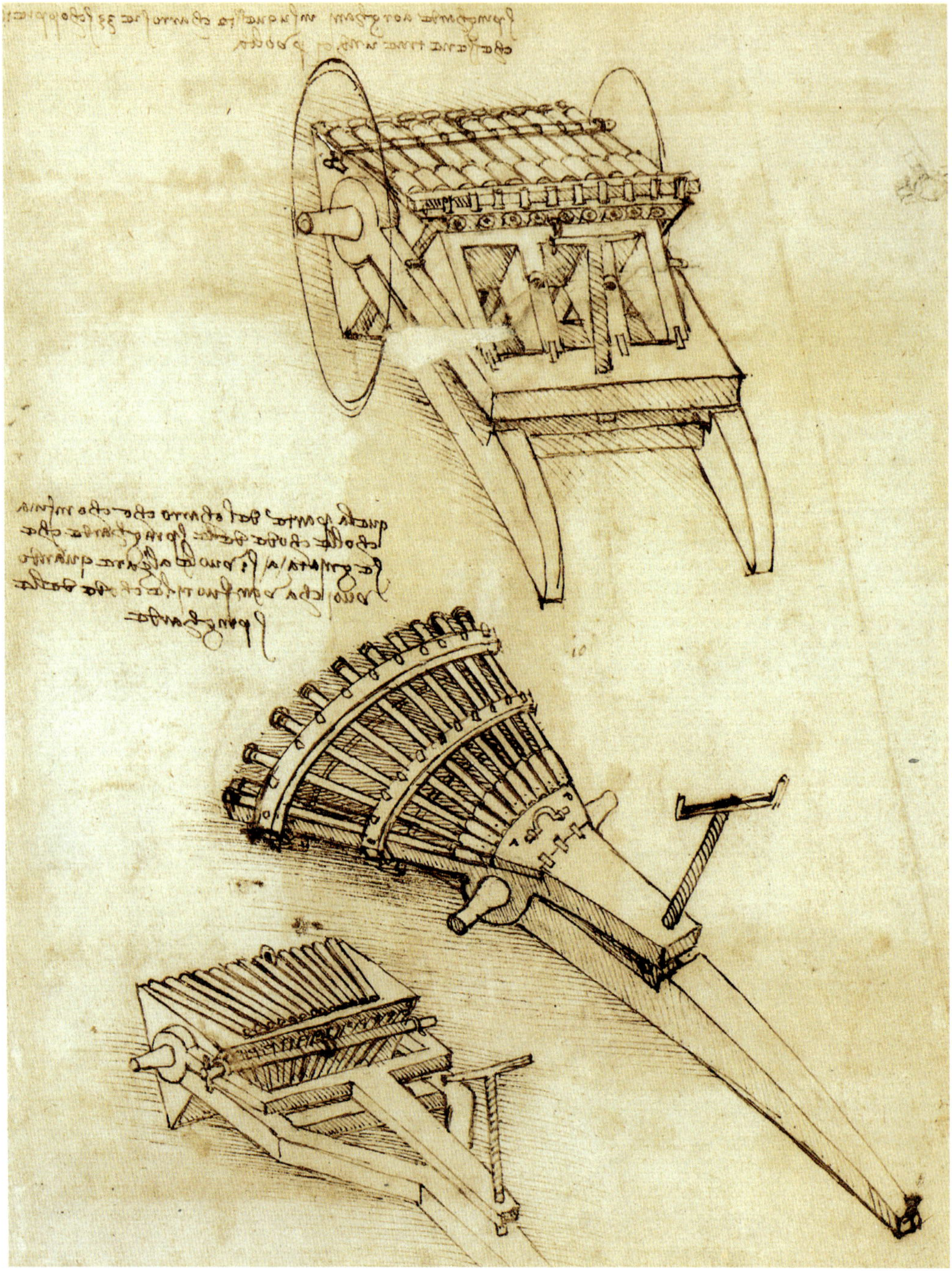

机枪设计图　约 1482

钢笔与墨水，26.5×18.5 厘米，意大利米兰，安布罗西安图书馆藏。

只有为野心争霸的政客设计武器，达芬奇才能取得经费，从事他对机械力学和科学发明的创造研究。

运用，他一次次实验，创造了无数新的科学发明，而这些发明被权力野心者拿去运用在战争中，被用作“武器”。

达芬奇的手稿中也实验了可以潜入水中的船，极类似今日的潜水艇的设计，但手稿中以左手反字锁了码，近代才被解读出来，达芬奇加注了一句：不要让人类利用这项发明，他们到海底屠杀生命是不好的！

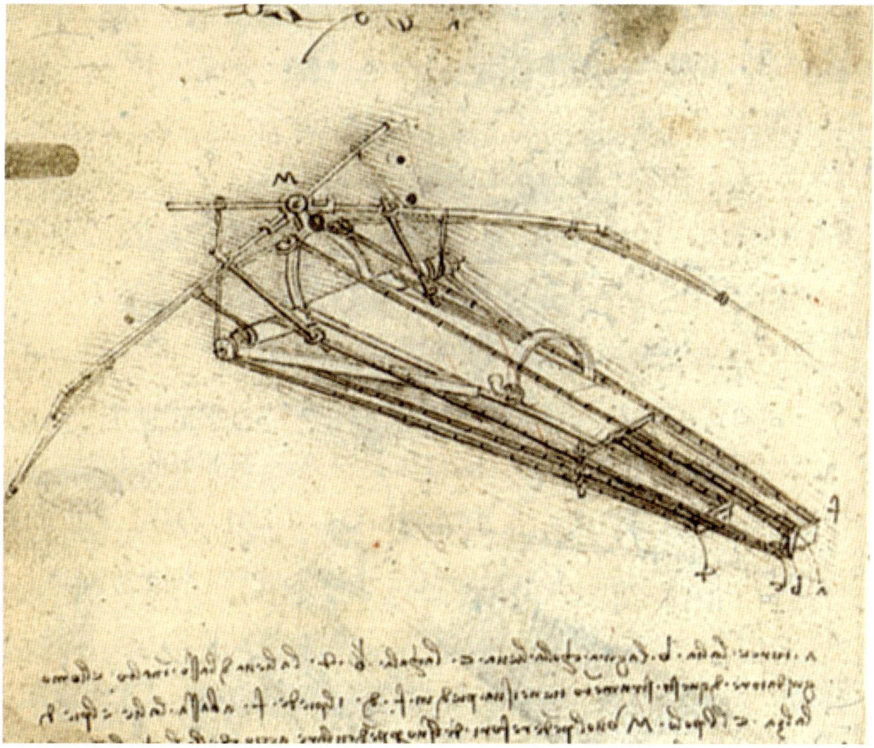

十字弓

附有镰刀的战车设计图　1485

钢笔、褐色墨水与褐色水彩，21×29 厘米，意大利都灵，都灵图书馆藏。

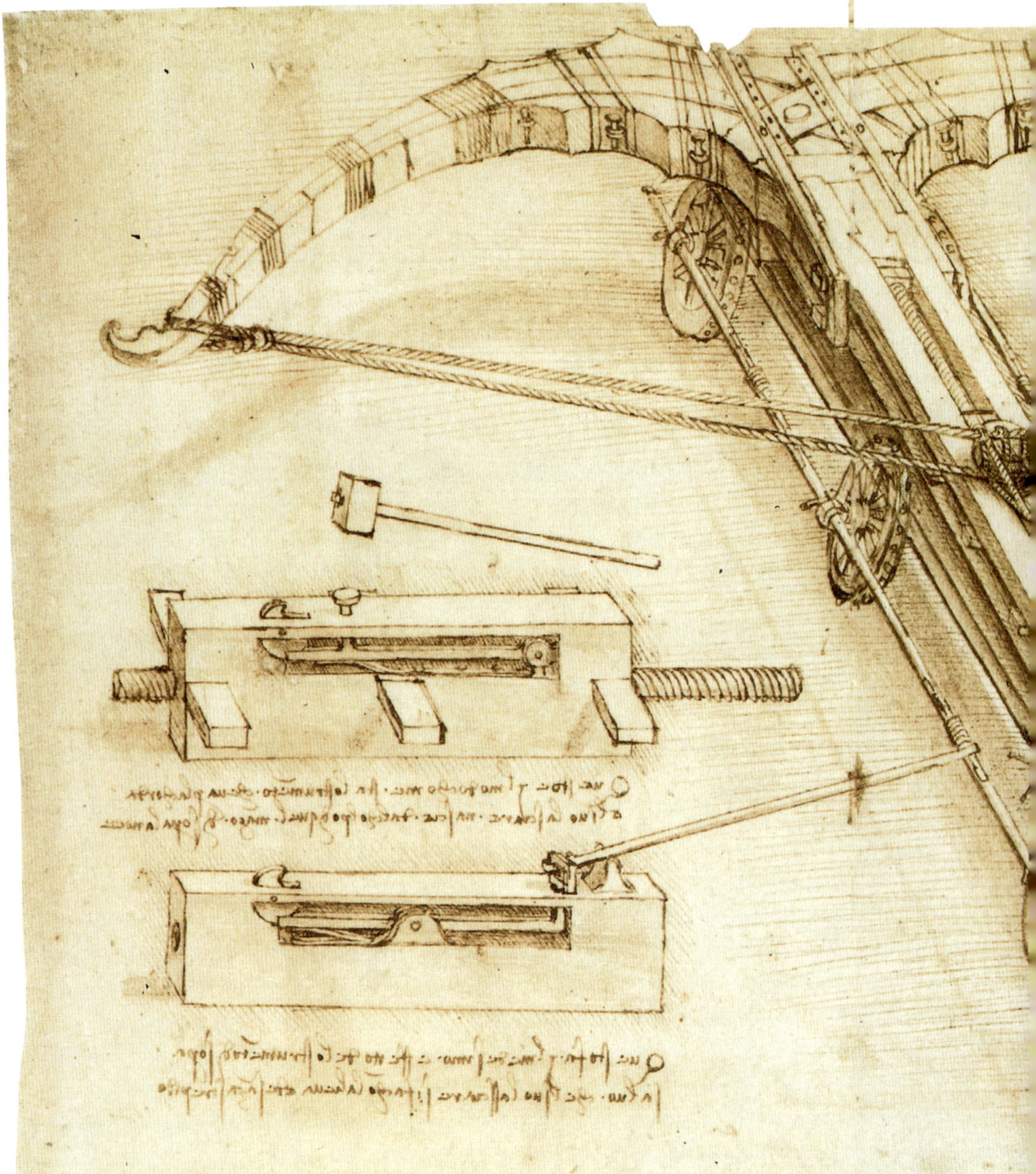

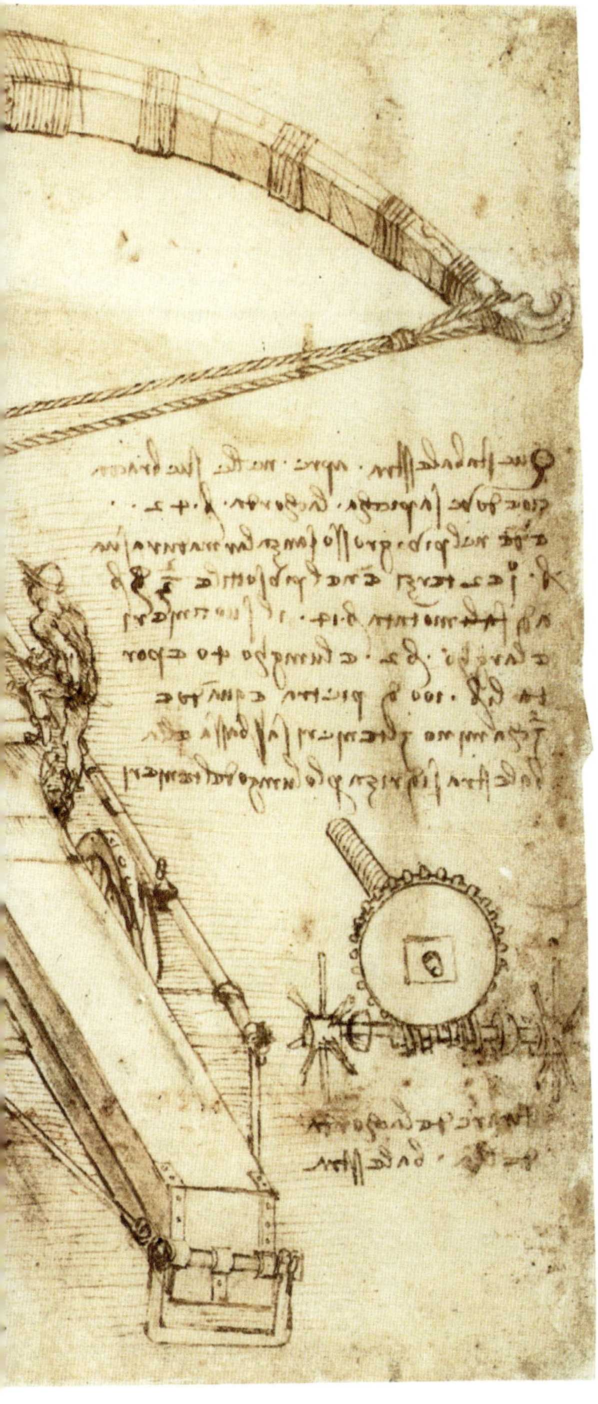

巨大弩箭设计图　1485

钢笔与墨水覆上粉笔，20.5×27.5 厘米，意大利米兰，安布罗西安图书馆藏。

圣克里斯多弗运河设计图

水流素描图
行驶帆船的爱文运河
运河水闸与水坝，大洪水

流体力学之父——从一滴水开始

达芬奇在手稿里留下了许多堤防、水坝、桥梁的设计，这些设计大多数并没有付诸实行，只停留在草图研究的阶段，主要是因为这些大型水利土木工程需要花费巨资，当时许多执政者对达芬奇的草图研究都抱怀疑的态度。

但是，经过五百年，这些草图被水利工程的专家一一研究，发现都有具体的科学分析，都是可以付诸实现的工程图，再一次证明达芬奇远远超越他的时代，只是能了解他的人太少，能帮助他完成理想的人太少，延迟了人类文明的进展。

这些堤防、水坝、桥梁，都关系到流体力学，达芬奇长时间观察水，他从凝视一滴水开始，他说：这滴水是前面的水的最后一滴，是后面的水的第一滴。

听起来完全抽象的理论，却为人类的流体力学领域打开了新的研究空间。

一滴水的量体、速度、压力，可能微不足道，但是一滴水的力量、速度加到一千亿倍、一兆亿倍，就可能是排山倒海的力量与速度。

达芬奇从最微小的水的量体，研究到山洪暴发大洪水的惊人力量，他思考了“水”的不同变貌，他也才有可能设计与水的流体力学有密切关系的工程设计。

他曾经试图改建米兰城，把米兰的两条河流用运河连接起来，这条运河有双层的堤坝闸门，可以提供不同高度的排水。

这一张小小的草图只是他巨大复杂的改建米兰城的一个小小的部分而已。

这个梦想没有完成，他生得太早，没有人相信他的梦想。但是，他不在意，他在自己的手稿中把梦想一一完成。

水流素描图　约 1508—1509

钢笔与墨水覆上黑粉笔，29.5×20.5 厘米，英国温莎，皇家图书馆藏。

达芬奇从研究一滴水开始，开启了流体力学的领域，对桥梁、水坝、堤防的建造都有贡献。

水流素描图　约 1508—1510

钢笔与墨水、红粉笔素描打底，20.5 × 20.3 厘米，英国温莎，皇家图书馆藏。

运河水闸与水坝　约1482

钢笔、墨水与黑粉笔，27.8×21厘米，
意大利米兰，安布罗西安图书馆藏。

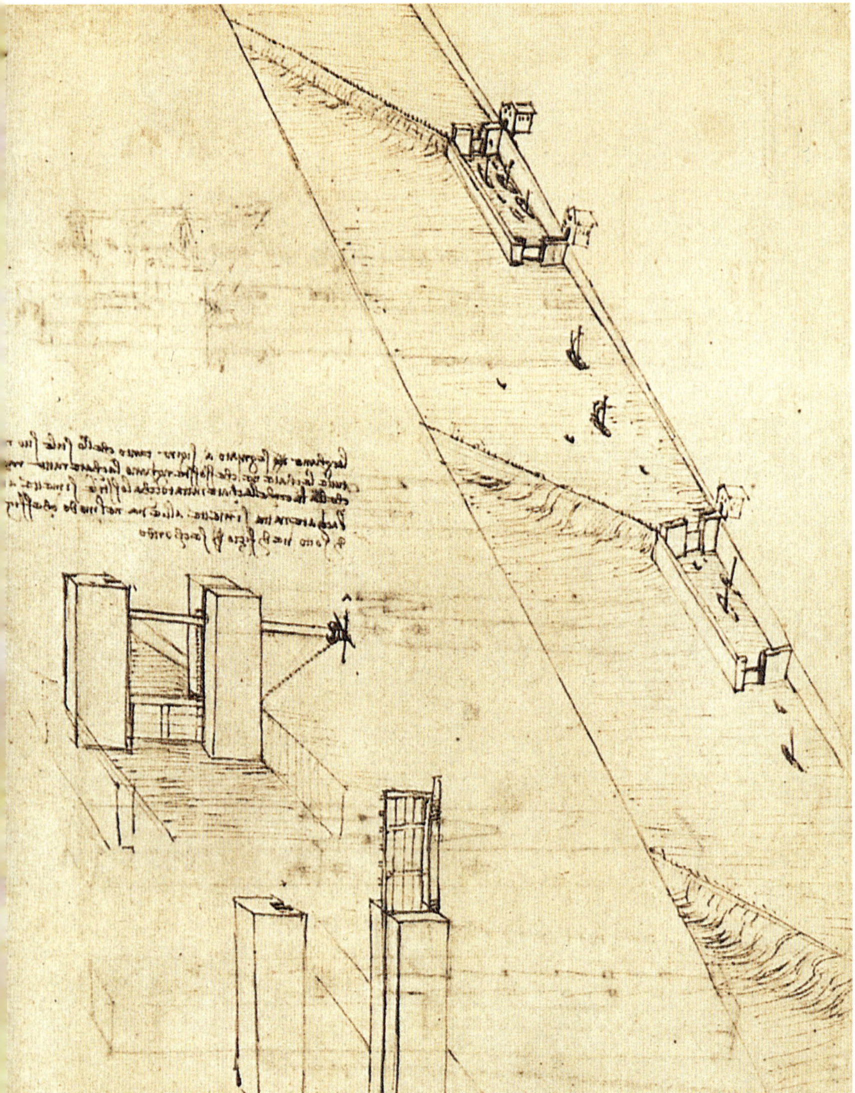

行驶帆船的爱文运河　约 1495

钢笔与墨水，18.5 × 27.5 厘米，意大利米兰，安布罗西安图书馆藏。

大洪水　约 1516

黑粉笔与粗糙的米色纸，15.8 × 21 厘米，英国温莎，皇家图书馆藏。

圣母、圣子、圣安妮与施洗约翰

1499—1500，薄纸板上黑色粉笔与铅白颜料
141.3×104 厘米，伯灵顿学院大型草图
英国伦敦，国家画廊藏

世界上最美的一张素描

这件达芬奇四十八岁左右创作的素描草图，目前收藏在伦敦的国家画廊，是达芬奇绘画作品中最令人着迷的一件。

“着迷”不是一个科学的名词，“着迷”是因为一种难以言喻的美，超越了科学所能分析的领域。

世俗的看法，常常觉得“油画”比“素描”重要，在市场价格上，油画也往往比素描贵得多。

但是这件达芬奇的素描，甚至只是未完成的草图，却不逊色于任何一件世界名作。

达芬奇以黑色粉笔作影，以铅白打光，在“光”与“影”的层次里，看来只有黑和白，

却产生了单色系统中视觉迷离恍惚的千万种变化，比任何油画构成的层次还要复杂。

人物像笼罩在薄薄的雾中，微微转动角度，画面的光影就随着发生变化，使人觉得好像对不准焦距，好像看到的不是一张画，而是一个梦里的记忆。

这件作品陈列在伦敦国家画廊入口右手边一个隐蔽的角落，因为画在纸板上，光线不能太强，在幽微的光里更显出这件作品非凡的神秘与华贵。

圣安妮是圣母玛利亚的母亲，她专注凝视着自己的女儿，一只手以食指指向上天。这个母亲好像不知道为什么上天选择了她的女儿作为神的母亲，受孕怀胎，最后还要亲眼看着儿子钉死在十字架上。

一切都不可知，不可解，如同《金刚经》中说的“不可思议”，圣安妮指向上天的手，变成达芬奇晚年重要的绘画符号，指向神秘，指向不可知，指向信仰，指向心灵的感悟。

达芬奇一生锲而不舍地研究科学，最后却在科学之上留给“信仰”一个巨大的空白领域，一种心灵的留白。

画中圣母玛利亚怀抱着婴儿耶稣，慈蔼地微笑着，沉浸在母亲的满足喜悦中。然而耶稣却似乎要从母亲的怀抱挣脱，他扑向另一个年龄稍大的幼儿——施洗约翰。

施洗约翰再度出现了，这个以后苦修殉道的圣徒，此时天真烂漫，倚靠在圣安妮脚边，看着耶稣。

借着基督教中圣母的角色，达芬奇创造了最宁静祥和、最具内敛气质的女性之美。

两个年龄相差不多的小男孩，彼此对望着，他们有秘密的眼神，他们有秘密的手势，他们像是有前世的约定，要一起去赴“神”的约会，连最亲近的母亲也无法理解他们之间秘密的爱，他们的眼神，他们的手势，都不可解。

达芬奇像是在昭告一种没有人可以了解的爱。

借着基督教中圣母的角色，达芬奇创造了最宁静祥和、最具内敛气质的女性之美。

圣母、圣子与圣安妮

1506—1513，木板上油彩
168.6×130 厘米
法国巴黎，卢浮宫藏

母亲阻拦不了的出走

这张达芬奇晚年的杰作在卢浮宫，常年以来就挂在《蒙娜丽莎》旁边，却往往被粗心的观光客忽略。

圣安妮是圣母玛利亚的母亲，她低头沉静微笑，像极了东方佛教里的观音，微笑中满是悲悯，仿佛知道未来一切，知道生命悲苦，却不忍道破。

玛利亚坐在圣安妮怀中，这个姿势很像还没有长大的女孩，躺在母亲怀中，还可以撒娇，还可以依赖母亲。

但是，她却伸手去抱自己的孩子耶稣了。

圣婴回望母亲，却握着作为“牺牲”的羔羊双耳，在殉道的路上，似乎还频频回看人间。

玛利亚坐在圣安妮怀中，很像还没有长大的女孩，但她已被选为“圣母”，有了母亲的喜悦与忧愁。

她原来是天真无邪的纯洁少女，被神选中，受孕怀胎，生了耶稣，成为“圣母”，她已经有了母亲的喜悦，也有了母亲的忧愁。

达芬奇好像在讲生命的两难，讲生命中不可知的注定。

圣母玛利亚伸手去抱耶稣，耶稣回头看母亲，但是他似乎坚决地要挣脱，他的双手抓着一个羔羊的耳朵。看来只是儿童游戏的动作，但是，在基督教长期的符号象征中，羔羊是神的献祭，它的血要洒在祭台上，它是“牺牲”。

羔羊常常是施洗约翰的象征，羔羊也常常是耶稣自己为人类赎罪的象征。

达芬奇在这张画中的隐喻越来越扑朔迷离了。

画面上四个角色，从圣安妮、玛利亚、耶稣到羔羊，用眼神贯穿出对角线的构图，他们好像被一条看不见的线串在一起，串在同一个悲剧的宿命中。

悲剧的宿命弥漫画中，他们却都微笑着，知道生命的宿命 “不可思议”。

画面背景的山水以雾状透视处理单色系的悠远效果，完全像中国宋元时代的山水画。

达芬奇活动的十五世纪后半叶到十六世纪初，已经是中国明代的中后期，东方水墨山水画已经成熟发展了两三百年。

达芬奇有没有看过东方的水墨山水画?

达芬奇有没有受到东方水墨山水美学的影响?

多年来，无数艺术史学者在探寻这个问题，找不到直接的有力证据，但是，一再出现在他画面背景的山水，说明着尚未被发现的达芬奇与东方山水另一个有趣的“密码”，而这样缥缈悠远的山水也正是最适合衬托画中人物既喜悦又忧伤的心境，达芬奇是西方美术中最能掌握东方“空灵”美学的一位奇才。

圣婴回望母亲，却握着作为“牺牲”的羔羊双耳，在殉道的路上，似乎还频频回看人间。

玛利亚坐在圣安妮怀中，很像还没有长大的女孩，但她已被选为“圣母”，有了母亲的喜悦与忧愁。

蒙娜丽莎

1503—1507，木板上油彩
77×53 厘米
法国巴黎，卢浮宫藏

蒙娜丽莎——忧伤的微笑

世界上没有任何一张画，像《蒙娜丽莎》的微笑，拥有如此广泛的知名度。

她不再是一张画，她是一个符号。

每一个人从幼年开始，在电视上、月历牌上、饼干或糖果盒上、T恤上、鼠标垫上、拼图玩具上，或扑克牌上，《蒙娜丽莎》的微笑，无所不在，普遍在世界每一个角落，每一个阶层。

一个符号如此被大量复制，不断重复出现，我们对她的“美”其实已经麻木无感。

悬挂在卢浮宫的那唯一一张“原作”其实是非常寂寞的。

很少有人花心思去分别那唯一的一张“原作”和遍布世界千千万万的复制品，之间究竟有什么差别？

从全世界涌进卢浮宫的游客，每日数以万计，绝大部分是为《蒙娜丽莎》而来的。

《蒙娜丽莎》变成一种“名牌”，“名牌”以讹传讹，大家争相抢购，最后往往掩盖了“名牌”真正存在的核心价值。

卢浮宫的游客们，以小跑步的速度，冲到《蒙娜丽莎》面前，匆匆看一眼，表示“我终于看到了”。

“名牌”的拥有也许只是一种欲望的满足。

《蒙娜丽莎》也变成一种欲望。

在严密的警卫、电眼、防弹玻璃层层严密的保护下，《蒙娜丽莎》的微笑有一点忧伤，有一点荒凉，有一点无奈。

游客们始终看不清楚她的微笑，防弹玻璃上都是游客张望的影子，游客们看到的也常常只是游客的后脑勺。

《蒙娜丽莎》是世界上最寂寞的一张画。

达芬奇使她以不变应万变地端庄坐着，使她无可奈何地笑着，好像达芬奇早已预料“她”的存在如此荒谬，而世人对“她”的美，也始终似懂非懂。

生命不就是一种荒谬吗？我们对生命不一直也是似懂非懂吗？

蒙娜丽莎

那一双手交握在一起，安静而又柔和，达芬奇似乎解脱了青年时的焦虑，创造了平和而又自在的一双手……

蒙娜丽莎，意大利的名字应该是“吉奥孔达夫人”。当时佛罗伦萨的贵族吉奥孔达委托达芬奇，为他第三任妻子画一张肖像画。

达芬奇接受了委托，大概在一五〇三年开始工作。

原来只是一件单纯的人物肖像画，达芬奇画着画着，似乎开始思索“人”的问题，面前的这个女人，美丽吗？美丽可以存在多久？她喜悦吗？因为喜悦，所以微笑。而微笑可不可能传达忧伤？

肖像画应该只是一个特定人物的画像，然而，达芬奇关心的是“人”，是“人”共同的生命现象。

这张画大概从一五〇三年画到一五〇七年，逐渐脱离了“吉奥孔达夫人”，从肖像画转变为一件充满“谜语”、充满隐喻和象征的作品。

一五一四年，六十二岁的达芬奇受教皇利奥十世邀请到罗马，他身边带着这张画。

原来受委托的肖像画，却没有交件。

当时达芬奇中风，右半边瘫痪，行动不便，他改用左手练习画画，继续修改这件作品。

一五一六年，六十四岁的达芬奇为自己画了一张自画像。

头顶都秃了，长长的胡须，眼袋下垂，眼角都是皱纹，他在镜子里看着自己，一张衰老的男人的脸，曾经年轻过，曾经俊美过，曾经像吉奥孔达夫人一样受着宠爱……

他同时画着两张画，一张《吉奥孔达夫人》，一张《自画像》。

他或许在问自己，吉奥孔达夫人有可能就是我吗？

许多学者发现《蒙娜丽莎》谜语一般的笑容下隐藏着达芬奇的自画像。

他开了世人一个玩笑。

游客们在卢浮宫都看不见达芬奇，他们匆匆一瞥，看到的只是表面的《蒙娜丽莎》。

没有人看得到一个美丽女人的笑容下掩盖着一个衰老男人忧伤的面容。

一五一七年，六十五岁的达芬奇受法国国王邀请到昂布瓦兹，他身边带着少数几张画，其中一件是《蒙娜丽莎》。

一五一八年达芬奇在法国逝世，《蒙娜丽莎》成为法国意外获得的最珍贵的财富。

施洗者圣约翰

1513—1516，木板上油彩
69.2×57.2 厘米
法国巴黎，卢浮宫藏

最后的神秘手势

施洗约翰的图像几乎贯穿达芬奇的一生。

达芬奇最早十七岁的作品，在他的老师韦罗基奥画的《耶稣基督受洗图》上画了两个天使，《耶稣基督受洗图》即是以施洗约翰为主题。

施洗约翰用约旦河的水为世人施洗礼，洗清众人的罪。

“施洗”是一种仪式，但对达芬奇而言，他仿佛一直思考着：“什么是罪？”“罪可以用水洗净吗？”

他对施洗约翰在旷野的苦修，对施洗约翰吃蜂蜜的瘦骨嶙峋的身体，对他披着骆驼皮毛的邋遢的容貌，都不会不清楚。

然而，一五一六年，垂垂老矣的达芬奇，却完全违反世俗的观点，画出这么诡异的一张《施洗者圣约翰》。

这是达芬奇最后一件作品，可以说是他艺术创作的最后一个句点。

这一段时间，他画了《蒙娜丽莎》，隐藏着他对性别暧昧的游戏，他甚至画下几张以年轻俊美弟子反串的《吉奥孔达夫人》像，鬼魅般地笑着。

他也创作了《丽达与天鹅》，用古代希腊的神话，描述宙斯幻化成天鹅，与丽达交媾，生下了两个蛋。

这张画原件已经遗失，但有许多摹本传世，仿佛也透露着达芬奇晚年对“反常”性爱的关心，同性之间的爱，性别的倒反，人与兽的性爱，都一一出现。

从这个时期的一致倾向来看，达芬奇创作的《施洗者圣约翰》或许就不显突兀了。

画中的男子好像戴着假发，一鬈一鬈的金发在暗黑中发亮。这是施洗约翰吗？这样丰腴滑腻如女性般的胴体，左手抚摸前胸，似乎完全不是苦修殉道者干瘦的肉体，这个肉体充满俗世的欲望，充满爱与被爱的渴望。

有人说达芬奇是以一名妓女为模特儿来画这张画的。

画中的年轻男子脸上透露着诡异暧昧的笑，眼神近乎挑逗，一手指着上面，好像说：“你要跟我去那里吗？”

他是“施洗约翰”？他为何指着空中，仿佛邀请我们说：到那里去？

在达芬奇绘画中，一再出现的神秘手指姿势。

一再在达芬奇画中出现的手指姿势，好像终于有了答案。达芬奇的手势，并不是宗教上神圣的手印，而毋宁更是俗世爱情的解放吧。

在卢浮宫看原作，十字架的部分是非常不明显的，隐藏在暗黑的背景里，大部分印刷品都把十字架做了强调。

达芬奇在圣洁的殉道图像里隐藏着俗世的沉沦，“罪”好像无法洗净，“天国”只是暧昧的眼神与手势而已！

他是“施洗约翰”？他为何指着空中，仿佛邀请我们说：到那里去？

在达芬奇绘画中，一再出现的神秘手指姿势。

自画像

1516

33.3×21.3 厘米

意大利都灵，都灵国家画廊藏

他脸上的美，使哀伤者得以平静

一五一六年，六十四岁的达芬奇画了这张《自画像》。

比起他在一四八一年二十九岁的自画像，他的容貌改变了很多。

他的额头很宽，好像容纳着许多思考，好像在平静下面仍然波涛汹涌。

时间在这宽广的额头上犁下了一道一道深深的辙痕。

眉毛很浓很长，几乎全白了，低低压着眼眶。

眼眶里深邃又锐利的眼神，好像还饱蓄着热情，对科学探究的好奇，对美的渴望，对生命永不止息的爱与凝视。

眼角四周的皱纹，以及深凹的眼窝，都似乎远远超过六十四岁应该有的样子，好

像太多沧桑使他早衰了。

他的鼻梁挺直，有一种君王般的傲气。

从鼻翼两侧延伸下来的法令纹，配合着紧抿的唇角，透露着他坚定的毅力，这样的一张脸，可以经历科学实验中一次一次的失败，却绝不会放弃。

他长长的头发、长长的胡须梳理得很整齐，一条一条纤细有秩序的波纹，像他曾经描绘过的水波上的光，像他曾经描绘过的麦田中每一丝叶片上闪烁的光。

他凝视着什么?

这么深沉的一张脸。他的好朋友瓦萨里在传记里形容："他脸上的美，使哀伤者得以平静。"

一五一八年五月二日，死在法国昂布瓦兹，达芬奇的身边陪伴着一名弟子梅尔济，他叮咛弟子慎重处理他一生留下的六千件小纸片上的手稿，那里面包含了五百年来引领人类走向不同领域的科学、哲学和美学的探讨的精华。

据说，他昏迷中还问了弟子一句："我这一生，到底有没有成就什么？"

达芬奇或许是一个永远破解不了的密码。

植物素描

伯利恒之星与其他植物

百合

自然界的美丽秩序

达芬奇常常蹲在地上观看一朵路边野花，或是一株小草。

他从口袋掏出纸和笔，一点一点把一朵花的花瓣细细勾摹在纸上，花瓣叠压，有一定的秩序，雄蕊和雌蕊的排列，也有一定的秩序，花瓣像一朵华丽的皇冠，从一片叶子中升起。叶子一片一片，也有一定重叠或生长的秩序。

他如此安静地观看着一片叶子，锯齿状的叶片边缘，叶片中细如人体血管的叶脉，分布如同一张繁密的网。

什么是“美”？美是如此静定地观看大自然每一处最微小的存在，发现这些存在中不可思议的秩序。

达芬奇手稿中有许多植物图像的描绘，好像是画家的素描手稿，但达芬奇或许并不只是为了绘画，绘画只是他理解自然、理解宇宙、理解生命的一种方式。

他也可以用文字，他的手稿中也充满文字的记录。

这些植物图鉴有些会在他的绘画作品中出现在一个小小角落，有些只是纯粹私下的研究，并不全然是为了目的性做的手稿。

蹲在地上看一朵花，素描一片叶子，达芬奇的手稿往往只是对微不足道的渺小生命的一种专注。

莎草

百合　约 1480—1485

钢笔与墨水、黑粉笔素描打底，31.4×17.7 厘米，英国温莎，皇家图书馆藏。

伯利恒之星与其他植物　约 1506 年

钢笔与墨水、红粉笔素描打底，19.6×16 厘米，英国温莎，皇家图书馆藏。

衣纹手稿

人体坐姿衣纹习作
人体跪姿衣纹习作

衣纹光影研究

达芬奇早期的手稿中有极大一部分在做“衣纹”研究。

衣纹覆盖在人的身体上，随着人的身体动作发生变化。

衣纹不好处理，中古世纪人物衣纹的处理都比较呆板。

达芬奇以稀释的石膏水浸泡布匹，再折叠成他要的衣纹形状，等石膏干透，衣纹固定了，可以长时间观察衣纹上光和影的变化，他可以做更精细的素描练习。

衣纹有一定布匹的重量，也有布匹质感的转折，但又随着人物不同的动作，例如跪、站、坐等姿势而变化，达芬奇在三十岁以前留下许多这一类的观察素描，使他在绘画人物画的衣纹时有了超越前代画家的精彩表现。

每一件衣袍下掩盖着一个肉体，达芬奇想研究衣袍与人体的关系，没有真实的人体，衣袍只是空洞的存在。

人体坐姿衣纹习作　约 1475

棕灰色蛋彩加铅白颜料加强效果，画于灰色帆布上，
290×200 厘米，意大利佛罗伦萨，乌菲兹美术馆藏。

人体跪姿衣纹习作　约 1475

棕灰色蛋彩加铅白颜料加强效果，画于灰色帆布上，310 × 205 厘米，美国新泽西，普林斯顿大学强生展览室藏。

人体坐姿衣纹习作（局部）

人体跪姿衣纹习作（局部）

几何图形

1510，钢笔、墨水与水彩

15×19 厘米

意大利米兰，安布罗西安图书馆藏

几何物体透视

达芬奇晚年的手稿中有许多关于纯粹数学与几何学的探讨。

一些非常单纯的几何透视，像是建筑，又像是抽象的立体雕刻，有时也像化学结晶的本质元素。

这些几何图形是达芬奇关心的数学本质吗？

通过一生对机械、物理、化学、流体力学、大气压力、声波、光速……各个领域的深入探讨，好像到了最后，达芬奇发现一切科学的本质有着非常类似的纯粹性。

他在手稿里留下的一个一个单纯极简的绝对几何符号，好像是他透视物体本质最后的状态，宁静，永恒，好像无始无终、不增不减、不生不灭的宇宙本体。

立体几何图形

马头羊角七弦琴草图

1487—1492，钢笔与墨水

22.2×15.8 厘米

法国巴黎，法国协会藏

达芬奇曾经担任过米兰公爵的宫廷乐师，他的手稿中留下了一件自己设计的乐器，这个乐器是一张七弦琴，造型像马的头，有两只羊角，使人想到古希腊的牧神。达芬奇不只是音乐家，他更好奇于声波的震动，把草绑在琴弦上，观察震动的频率，他在绘画领域发展的视觉极限，也在听觉领域发展到了极致。

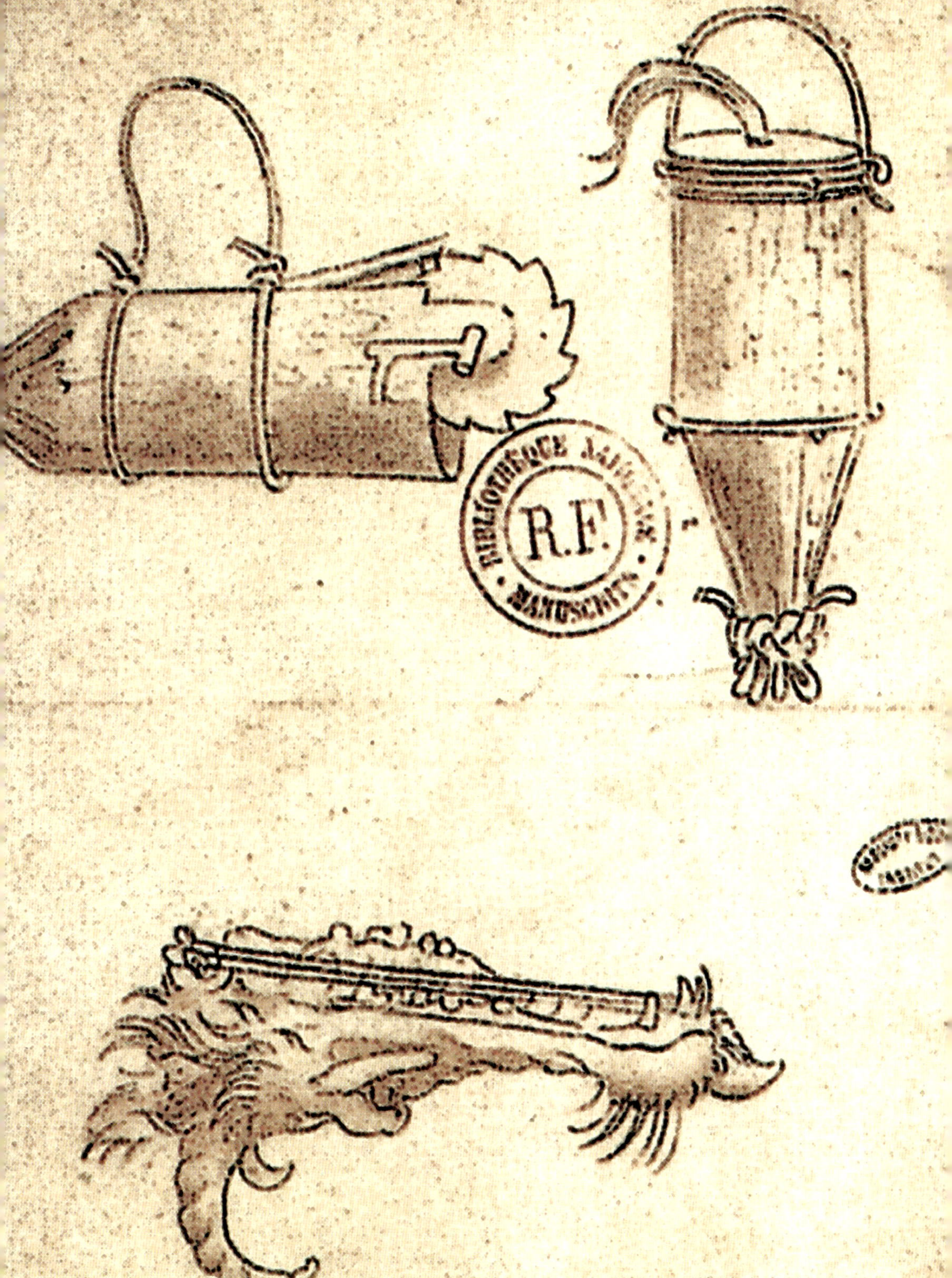

马头羊角七弦琴草图

起重机械设计图

1480，钢笔、墨水与黑粉笔
27×17.5 厘米
意大利米兰，安布罗西安图书馆藏

达芬奇十九岁时曾经协助他的老师韦罗基奥，设计了起重机械，把一颗重达两吨的金属球举起，装置在教堂的顶上。

他以轮盘铰链设计的起重机械，之后也运用在不同的操作功能上。

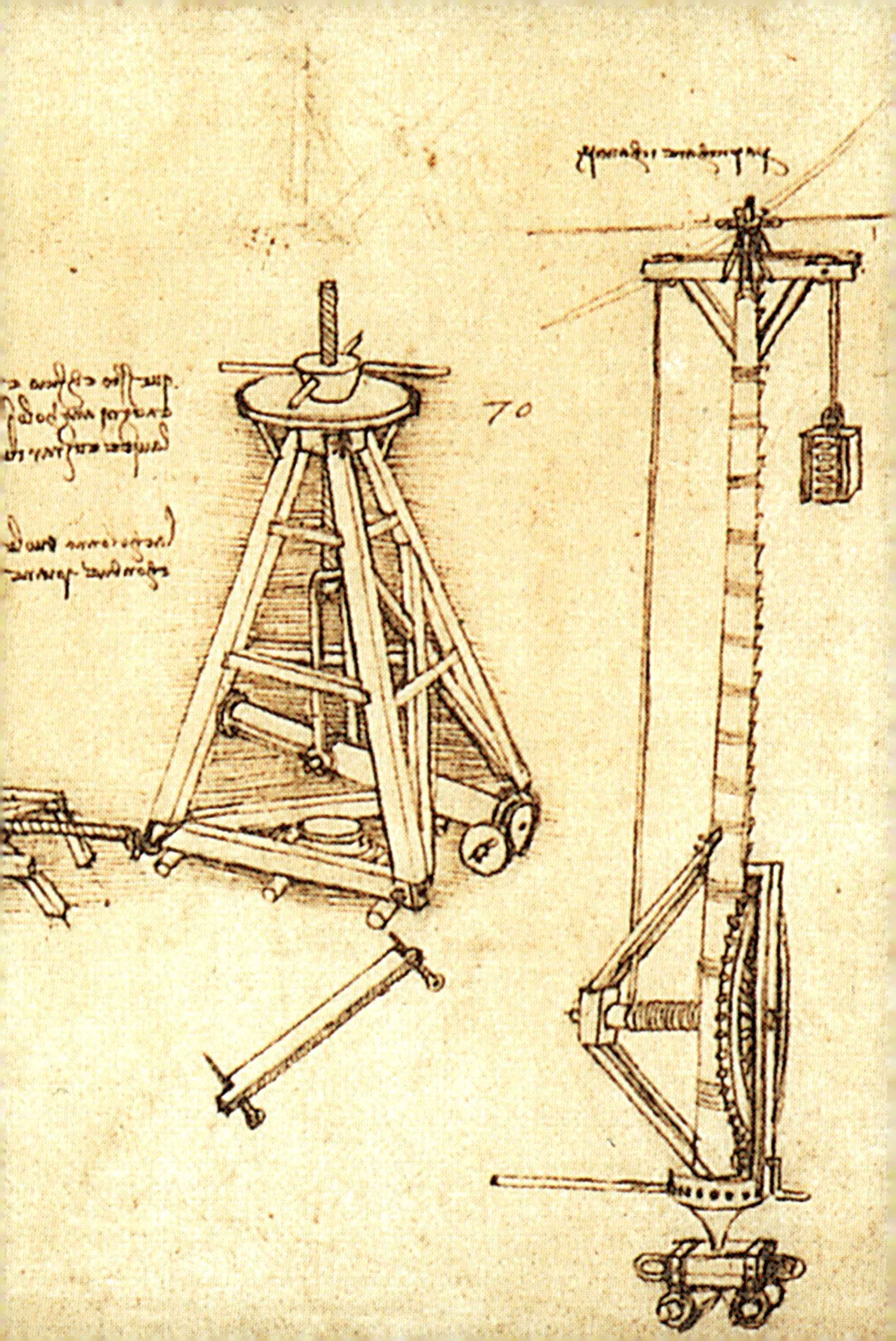
70

肉身天使

1513—1515，粉笔或碳笔，粗糙的蓝画纸
26.8×19.7 厘米
德国，私人收藏

晚年的达芬奇对性别的跨越充满兴趣。

他不只在《蒙娜丽莎》中隐藏了自画像，也在《施洗者圣约翰》图中把男性与女性的特征混合在一起。

一五一三至一五一五年他的一张手稿，《肉身天使》更明显透露了他对世俗性别的背叛，他在这件手稿中，画了一个裸体人物，兼具女性的乳房和男性的勃起阳具。

画中人物的姿态也和同一时间创作的《施洗者圣约翰》非常类似。

《肉身天使》的哲学背景有可能来自古希腊的柏拉图，柏拉图在《飨宴篇》中叙述最初完美的人类，兼具两性，后来被惩罚，劈成了两半，每一半都是残缺，每一半都在寻找另一半，但常常找错，再也复原不了“完美”。

第三部

达芬奇

Leonardo Da Vinci

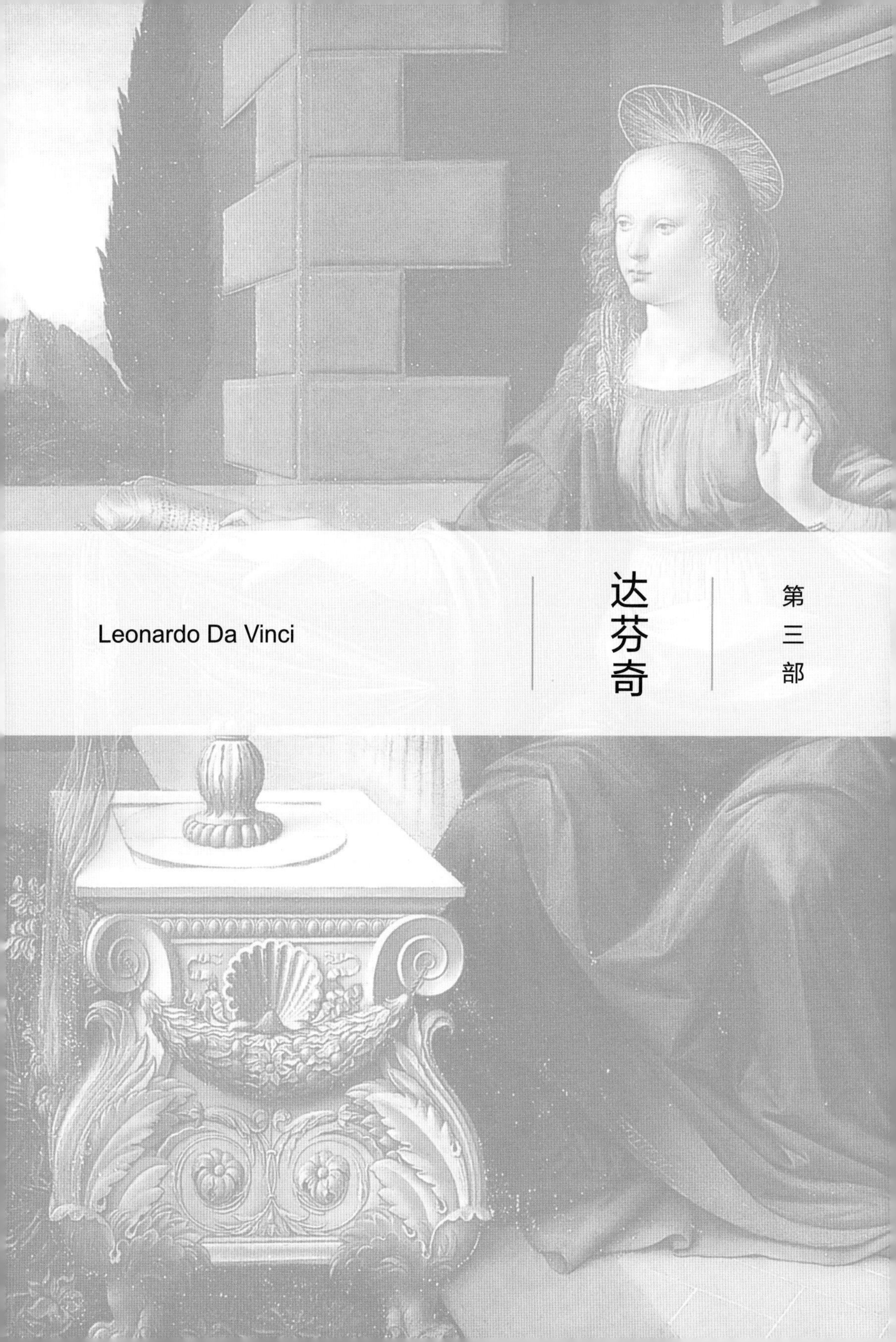

文艺复兴与中世纪

“文艺复兴”是一般人很熟悉的名词。在西方历史上，“文艺复兴”特别指大约从一四〇〇年到一五〇〇年这一百年间文化上蓬勃发展的状态；建筑、美术、文学、音乐、戏剧、哲学，甚至庶民的生活，都起了很大的变化，也是西方历史中最具有文化创造力的时代。

从西方的文字来看，“文艺复兴”的原文 Renaissance，有“再生”的意思。现今拉丁语系的字源 naissance，仍然可以翻译为“诞生”。

如果“文艺复兴”，是指一四〇〇年以后一种“复活”或“诞生”的文化现象，那么，一四〇〇年之前是什么样的时代呢？

很多人可能听过“黑暗时代”这个名称。

康乃馨圣母　约 1472—1478

木板上蛋彩油，62.3×48.5 厘米，德国慕尼黑，古代美术馆藏。

康乃馨圣母（局部）

“黑暗时代”特别用来形容“文艺复兴”之前在基督教信仰控制下的欧洲历史，也就是所谓的中世纪。

有些历史学家不一定赞同用“黑暗时代”这样含有偏见的名词来称呼中世纪。但是，的确在中世纪的宗教钳制之下，思想的自由受到了很大的限制和约束。

中世纪，重要的不是知识，而是信仰。在那个时代，唯一被鼓励阅读的书可能只是基督教的《圣经》。

《圣经》是唯一的信仰，人们用它来解释宇宙所有的现象。在《圣经》的《创世纪》里，描述了神如何创造了星球，如何分开了海洋和陆地，如何分别了白天和黑夜，如何创造了男人亚当和女人夏娃，亚当和夏娃又如何违反了神的禁令，偷吃了禁果，有了爱欲，被逐出伊甸园，流落到人间，成为人类的祖先。

《圣经》构成的神学，在漫长的中世纪，成为解释一切现象的唯一知识。神学替代了科学，信仰蒙蔽了知识，人类活在没有理知思维的蒙昧黑暗之中。

来自基督教会的严格的教条和戒律，使信徒只能卑微地奉行遵守，不能有个人的意见，不能有怀疑，也不能有思考。

身体既然是因为亚当夏娃犯罪之后才产生的，这个身体从出生开始也就带着“原罪”，只有期待最后审判时神的赦免和救赎。

在这样的禁欲压制下，中世纪的绘画或雕刻只有围绕着《圣经》的故事来表现。耶稣、圣母、天使，或一切的基督教圣人，都有固定的画法，叫做“圣像图”（ICON）。

圣像的姿态表情都是固定的，不能随意改变，成为一种公式。

人类的理知在沉睡的状态，没有对知识的好奇；人类的感官也在沉睡的状态，没有对肉体与欲望的好奇。

因此，“文艺复兴”是一种苏醒的现象，经过漫漫长夜，人类将从沉睡的状态苏醒，开始转动自己的眼睛，开始观察；开始活动自己的手指，开始感觉自己的身体；开始用自己的头脑思考问题，开始行走；漫长的黑夜将要过去，理性的曙光已宣告新时代的来临。

苏醒的年代

十四世纪的下半叶，意大利发生了严重的瘟疫。传染病的侵袭，带来了死亡的恐慌。在堆积如山的尸体中，却有一位作家——薄伽丘（Boccaccio），以诙谐幽默的笔调说了一连串有趣、快乐、充满怪诞的生命力的故事。这本叫做《十日谈》（Decameron）的著作，创作于一三五三年，也正是黑死病肆虐的期间。薄伽丘似乎使原来濒临绝望的人，有了重新省视自己生命的机会。死亡终究来临了，死亡不是迟早都会来临吗？如果在死亡逼近的时刻，忽然省悟到自己的一生什么也没有做，什么也不曾留下，将是多么遗憾空虚的事。薄伽丘设定十名左右逃避瘟疫而偶然聚集在一起的男女，每人负责讲一天的故事，并且强调这些故事必须是使大家快乐的。

听故事的人仿佛有了反省，他们发现，不只是瘟疫带来了死亡，其实，人在禁忌中麻木地活着，和死亡没有太大的不同。

一种渴望苏醒的声音在漫漫黑暗的死亡中流传了起来。

比薄伽丘更早创作的《神曲》，由于作者但丁被放逐，到了一三七三年，这部歌颂俗世之爱的长诗，也由薄伽丘正式介绍给了佛罗伦萨的大众。

人们渴望苏醒，渴望从自己的身体开始苏醒。文学打开了第一扇窗子，使黎明的光照在渴望体温的身上。

俗世的文学用直接而且大胆的肉体描述对抗了中世纪长期的禁欲主义。

在《十日谈》的《第三日》，薄伽丘嘲讽地描写了一名猛男马塞多（Masteto）如何以肉体满足了一整个修道院的修女。看来淫秽的故事，潜藏着使肉体解放，使人的感官重新获得释放的祝福。

大部分对俗世意义描述的书籍、绘画、雕刻，被视为“不道德的”。基督教会建立了严厉的裁判机构，罗马的教皇以政治及军事巩固最后的信仰中心：开明与保守，理性与蒙昧，自由与禁欲，人的尊严与权威展开了长期的拉锯战。

在苏醒之前，意大利的城邦在对抗封建、威权、禁欲的基督教权力中心方面，做了许多努力。

柏诺瓦的圣母　约 1478

帆布上油彩（原先是在木板上），99.3×31.5 厘米，俄国圣彼得堡，赫米塔希美术馆藏。

新阶级的形成

个人的觉醒，在巨大的教权政治压抑下，力量是非常微小的。个人的觉醒，期待着整个社会的结构发生本质上的变化，期待着新阶级的形成，也期待着新制度的建立。

中世纪的后期，在封建的教权贵族和下层的农民劳工之间，产生了新的商人阶级。这些以经商贸易致富的社会阶层，也被称为布尔乔亚人（Bourgeois），或被译为中产阶级。

基督教《圣经》中说：有钱的人进天国，比骆驼穿过针眼还难。基督教的原始教义隐含着明显的反商意识，也连带禁制商业文化可能带来的世俗享乐及物质追求的价值观。

中世纪后期，崛起于各个意大利城邦的商人阶级就扮演了最早摧毁教条或使宗教权威转型的重要力量。以佛罗伦萨来看，类似美第奇这一类的商人阶级崛起，原来可能只是羊毛进口或制作服装的产业，但逐渐致富之后，涉及到发行纸币、支票汇兑，形成了近代经济的新规模。这些商人阶级逐渐掌控了城邦的经济命脉，成立欧洲最早的银行。他们的财富甚至可以借贷给需要战争经费的贵族和教皇。因此，也一步一步获得了掌控政治权力的机会。

商业的繁荣形成之后，需要合理的管理制度，佛罗伦萨出现了七个工会，羊毛、纺织、银行家、律师、医师，乃至金属雕塑，各有工会组织，也使学有专长的人，可以通过工会，获得保障，也有展现才能的机会。

被教权阶级垄断的俗世生活制度得到了商业的协助，蓬勃发展起来了。

新阶级形成了。新阶级来源于商业的致富，因此，他们无法完全接受基督教的禁欲主义。他们重视俗世生活，重视人的肉体存在的事实，重视理性与思辨，重视现实社会的是非与正义，他们需要哲学来修正神学，他们需要公正的法律来平衡教会独断的审判，他们需要科学来对抗宗教，需要知识来开启盲目的迷信。

商人阶级在意大利创造了影响历史的“文艺复兴”，因为他们不只是财富和权力的拥有者，更重要的是：他们以财富及权力创造了文化，创造了以人为中心的知识体系，创造了新的生命尊严与生命价值。

在商人阶级的保护、赞助之下，许多原来被列为禁书的希腊古典著作重新被翻译成拉丁文，重新出版，使大众可以阅读。一四〇六年，托勒密（Ptolomy）的天文著作被译为拉丁文，一四四〇年，佛罗伦萨的学者布鲁尼（Bruni）翻译了亚里士多德的《政治学》，一四六三年，费奇诺（Ficino）翻译了柏拉图的《对话录》。这一连串对古典哲学及科学的翻译工作，几乎都在开明的商人阶级赞助下推动，加上一四五六年德国人古腾堡（Gutenberg）启用了东方传来的印刷术印行了《圣经》：思想与科技密切结合，思想无法再成为少数人垄断 的专利。通过现代的印刷术，思想将大量在民众间普及，《圣经》的权威性将重新被挑战，希腊的古典将重新从禁忌中解放，重新掀起人们对思想、研究、探索、实验的兴趣。

达芬奇是在这样的背景下诞生的，他终其一生，不断思考、研究、探索、实验，成为“文艺复兴人”的典范。

达芬奇的童年与青年时期

达芬奇（Da Vinci），“芬奇”是距离佛罗伦萨大约六十英里的一个小村落。一四五二年四月十五日凌晨三时，他诞生了，母亲是平凡的农家女子，父亲是律师，两人并没有结婚，这个被取名为列奥纳多（Leonardo）的婴儿，后来长大，展现了多样的才华，荣耀了他出生的村落，原来默默无闻的村落永远和这位伟大人物的名字结合在一起，被称为——列奥纳多·达·芬奇。

大约在十四岁以前，他都生活在芬奇村，因为父亲是当地著名的律师，因此接受了良好的学校教育。他在有些贵族气的环境长大，喜欢穿华美的衣服，能够弹奏乐器，唱歌，喜欢数学研究，也展现了绘画的才能。他把蜥蜴、蛇、蝙蝠拿来解剖，局部切开之后，再以幻想的方式重新组合，蛇有了蝙蝠的翅膀，蝙蝠有了蜥蜴的头。他用素

吉内薇拉·班琪　约 1478—1480

蛋彩油画，38.8×36.7 厘米，美国华盛顿，国家画廊藏。这件作品被裁切过，原来应该画到手部。混合了文艺复兴初期的蛋彩及较后期的油画，兼具细节描述及渲染的技巧，人物雍容华贵，延伸出一片宁静悠远的风景。

描画下这些组合的动物，结合了科学和艺术的想象。

大约在十四岁左右，他的父亲发现了他绘画上的才华，带他到佛罗伦萨，送他进入当时著名的韦罗基奥（Verrochio）画室学画。

文艺复兴时代，艺术家同时兼具着工匠的技术。因此，严格来看，韦罗基奥的“画室”，并不只是“画室”，而是一个教授技艺的“工作坊”。达芬奇十四岁进到这个工作坊，一开始学习的是一般学徒都必须会的扫地、洗画笔、做模特儿，慢慢地，才学习绘画，制作金属烛台，或者雕刻墓碑。因此，达芬奇的艺术学习中包含了许多属于工匠技术的才能，能够准确地掌握材料，能够熟练地运用技术。

过去的艺术资料上流传着一个故事，说达芬奇在学徒时代，帮助教师韦罗基奥画《耶稣基督受洗图》，达芬奇在画的左下角添加了两名侧面的天使。这个图像让他的老师大吃一惊，因此放弃了绘画，而改做雕刻。这个故事可能有些夸张之处，但是，的确达芬奇没有多久，在绘画上青出于蓝，超越了他的老师，韦罗基奥也把工作坊绘画方面的工作大多交由他处理。

在这一段期间，达芬奇的父亲也逐渐发达起来，律师的业务越来越繁忙。一四六九年，达芬奇十七岁的时候，他的父亲从芬奇村迁居佛罗伦萨，娶了四名妻子。达芬奇离家，和韦罗基奥同住。从小母亲的缺席，或许对他一生产生重大的影响，使他一生厌恶与女性来往。在他二十岁，结束了长达六年的学徒生涯，可以拥有自己的工作室之后，他的身边总是围绕着俊美的男性同伴及学生。这些男性的同伴，可能是他肉体上的伴侣，也可能是在艺术的创造、思想的启蒙、科学的探讨上相互激发的精神上与心灵上的互动力量。

一四七六年四月至六月间，达芬奇和三名青年，被佛罗伦萨的一个委员会传唤，要求他们出庭答辩有关同性恋的指控。这个案件虽然很快被撤销，但显然对达芬奇此后的思维发生了重大影响，他不但因此设计了许多从监狱逃亡的工具，也在大批的草图中不断对性别的议题做出非常颠覆而且另类的思考，例如《肉身天使》草图，就描绘出了女性肉体而兼具男性勃起阳具的图像。

从个人青少年期的性别困扰出发，达芬奇的思考扩大到人类身体的性别构造，也扩大到对两性与中性的对立或和谐的诸多可能，他的一系列对男性、女性生殖系统的解剖草图，他在以后绘画中所展现的交错于男性与女性之间的形貌魅力，都成为今日艺术美学领域最前卫与现代的议题。

施洗约翰为耶稣施洗礼。水从耶稣头上洒下，天空出现了上帝的手，出现了代表“圣灵”的白色鸽子。

达芬奇的老师韦罗基奥创作这幅作品。

达芬奇与韦罗基奥《耶稣基督受洗图》 约 1472—1473

木板上油彩与蛋彩，176.9 × 151.2 厘米，意大利佛罗伦萨，乌菲兹美术馆藏。

施洗约翰为耶稣施洗礼。水从耶稣头上洒下，天空出现了上帝的手，出现了代表“圣灵”的白色鸽子。

达芬奇所添加的两个侧面天使，令老师大吃一惊，看出了他将青出于蓝。

教堂圆顶上的金球

达芬奇诞生以前，佛罗伦萨城为了兴建新的教堂圆顶煞费苦心。在中世纪时期，由于基督教信仰，大教堂多采用向上直线的追求，尽量挑高，以力学上的尖拱、交叉肋拱，以及建筑外围的飞扶拱，来使建筑的结构可以向上发展，寻找通向神的高度象征，也就产生了哥特式（Gothic）的大教堂形式。

一四〇〇年之后，显然对宗教的俗世化有了新的要求，加上古代罗马圆顶型建筑的再复兴，使当时的建筑极迫切渴望摆脱后期哥特式过度烦琐的风格，重新追求古典的素朴。建筑师布鲁内莱斯基（F. Brunelleschi）研究了古代罗马的穹顶，以砖块旋转排列的方法，结构起了两层的圆顶形式，完成了文艺复兴时代新建筑的风格。

一四七一年，才十九岁的达芬奇，协助他的老师韦罗基奥铸造一颗直径六公尺，重量有两吨重的金球，要把这样一颗巨大而沉重的金属球置放到教堂圆顶的顶端，不

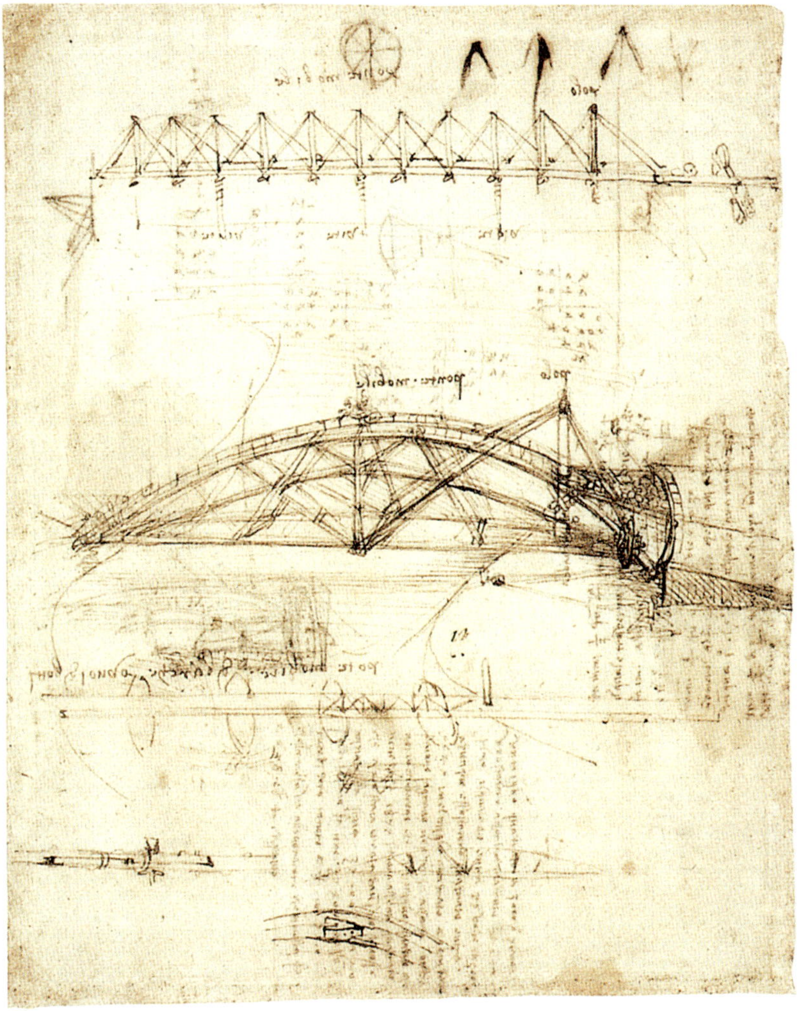

浮桥设计图（细部）　约 1490

钢笔与墨水，意大利米兰，安布罗西安图书馆藏。

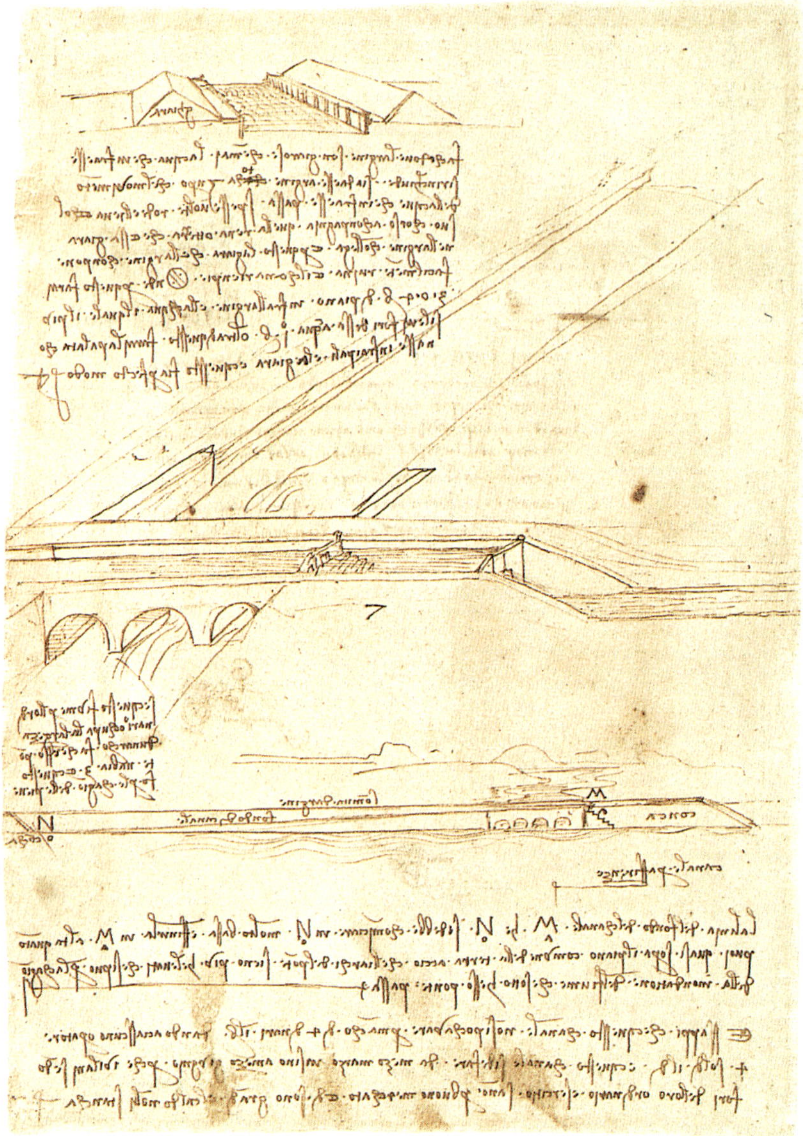

佛罗伦萨运河计划图　约 1495

钢笔与墨水，意大利米兰，安布罗西安图书馆藏。

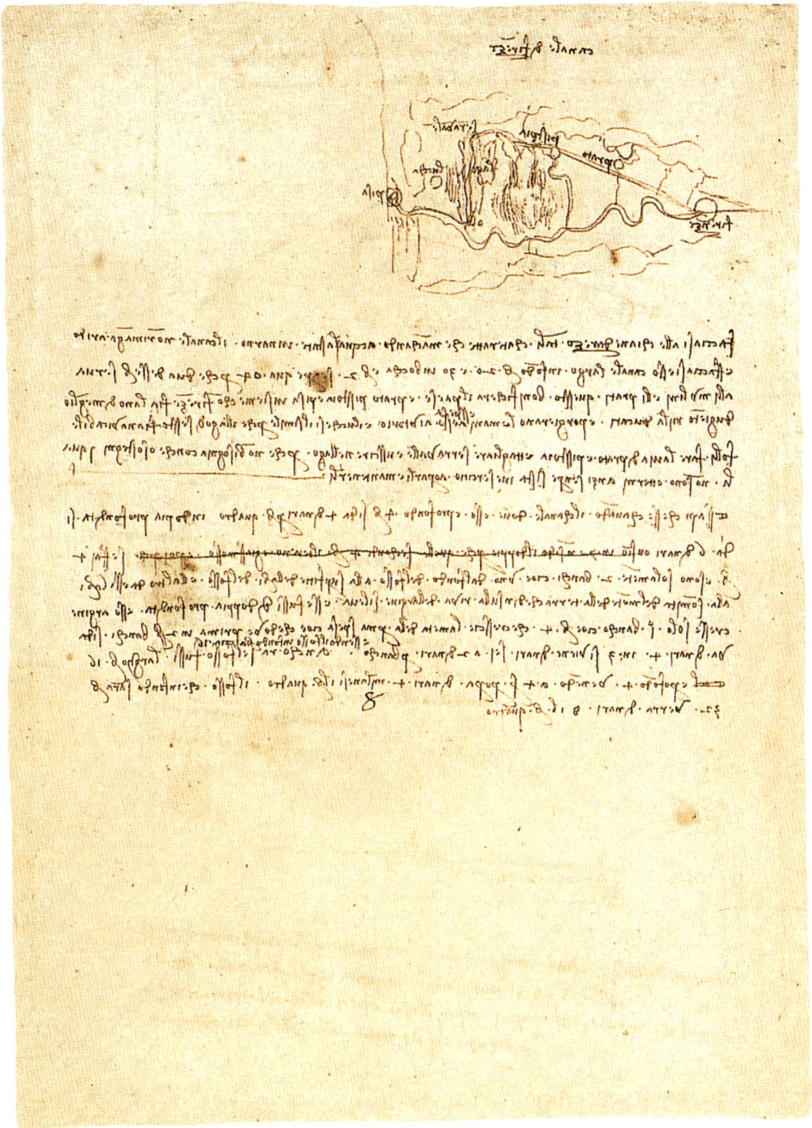

佛罗伦萨运河计划图　约 1495

钢笔与墨水，意大利米兰，安布罗西安图书馆藏。

亚诺河风景　1473 年 8 月 5 日

钢笔与墨水，19.3×28.4 厘米，意大利佛罗伦萨，乌菲兹美术馆藏。

Leonardo

是一件容易的事。十九岁的达芬奇展露了工程上的才华，他设计了一套起重装置，完成了金球的安置工作。

事实上，建筑师布鲁内莱斯基在建筑工地上留下了许多机械，也有许多有关的草图，达芬奇依据这些资料，发明了旋转式的起重机，十九岁的他，继承了前人的基础，研究各种物理现象，远远超出了一名画家的限制。

在同一年，十九岁的达芬奇还设计了机械的汲水装置，他对水的流动、水的物理现象充满了兴趣，也从这起点，他从事了水闸、水坝、桥梁，以及运河的研究。他把“水”作为一种现象来观察，分析水的特性，了解水在不同压力下的变化，具体地分析米兰的艾达河，以及佛罗伦萨的亚诺河，试图改变河道，改革灌溉的方法，以及贸易运输的条件。他留下了无数有关桥梁的设计，包括为伊斯坦布尔黄金角设计二百四十公尺长的大拱桥。这些设计草图大多没有机会完成，也许因为经费的关系，也许因为达芬奇的观念太过先进，当时的人不能接受，但大多他的设计在五百年后，经由现代科学的分析，证实竟然都是准确可行的，也为二十世纪的工程科学带来了弥足珍贵的启发。

战争和音乐

一四八二年，三十岁的达芬奇，似乎并没有确定自己画家的地位，他写信给米兰的公爵卢多维克·史佛萨（Sforsa），说明自己可以胜任的工作是“军事工程师”，他列举自己的能力，可以建造桥梁，可以建造大炮，可以设计防御的碉堡以及战车。

在战争频仍的年代，在城邦领袖急切渴望巩固及扩大权力的时代，画家达芬奇如此推荐自己军事的才能，究竟说明了什么呢?

艺术、美、生命的尊严、人的自由与和平，达芬奇在每一件画作中追求的理想，却与残酷而荒谬的现实冲突着。

达芬奇许多手稿已由近代科学家通力合作，制作出模型，达芬奇的科学发明被证实它们的可行性。

达芬奇也许要经费做研究，对科学的极度狂热，有时使他专注沉迷。他设计了装置镰刀的战车，战车奔跑着，镰刀被转轴带动，可以飞快旋转，绞杀敌人。面对着达芬奇手稿中这样的画面，看到残断的肢体，被镰刀切杀的说明文字，再回来看达芬奇在绘画世界呈现的宗教情操的虔诚与宁静，不能不有荒谬之感吧。

然而达芬奇第一次自我推荐为米兰公爵的“军事工程师”的计划也并没有成功：他结果是以“乐师”的身份被请到了米兰。在豪华的公爵宫廷，在贵族们盛装的宴会中，达芬奇吹奏起他自己制作的乐器，一支用马的头骨加公羊角制成的笛子。他以美丽的音乐取悦贵族们，他为他们安排宴会的娱乐，为贵族夫人们设计了珠宝和服饰，为她们的婚礼设计跳舞的大厅，又为公爵的情妇设计浴室，设计节日时的游行。

在“战争”和“宴乐”之间，达芬奇在第一次到米兰时期，扮演了后者的角色。

在战争的嘶叫喧闹间，或许有人真心听到过达芬奇悦耳动听的笛声吧。

战车设计图（细部） 约 1485

钢笔与墨水，英国伦敦，大英博物馆藏。

岩间圣母和抱貂的女子

大约在另一次居住于米兰时，达芬奇创作了《岩间圣母》这件作品。

达芬奇创造了沉浸于内心祥和世界的圣母形象，没有忧虑、没有恐惧、满心慈爱地看着婴儿时的耶稣。看画的人是知道这个婴儿以后的命运的。生命注定的悲剧，坎坷、孤独死于十字架上的痛苦，使这件看来宁静优雅的画作后面涌动着巨大的悲剧感。达芬奇使中世纪原来一成不变的《圣经》图像重新被诠释，有了鲜活的生命现实的情操。

《岩间圣母》的背景已经出现了达芬奇特有的山水符号。这种极近似于中国宋元山水淡墨渲染（意大利文为 Sfumato：雾状的）的风景，构成了达芬奇世界辽阔渺远的感人力量，也呼应着主题人物内心的幽静绵长，使圣母脸上淡淡的若有所悟的微笑，借山水扩大成为一种永恒的宇宙力量。

《岩间圣母》背景的山水荒凉、悠远而神秘，达芬奇把《圣经》故事的人物放进这样的山水，是为了衬托修道者内心风景的寂寞与孤独吗？

婴儿的施洗约翰朝拜耶稣。

婴儿的耶稣向施洗约翰祝福，他们都有走向殉道之路的漫长苦修。

圣母玛利亚的“手”再一次透露达芬奇内在世界的不安定。

天使亦男亦女，呈现出不具性别的一种美。

蒋勋 VS 丹·布朗

施洗约翰的悲剧

《岩间圣母》两次处理了《圣经》里“施洗约翰”这个人物。

“施洗约翰”是谁？

依据《圣经》，施洗约翰比耶稣早出生，他长大以后，居住在旷野中，以蜂蜜为食物，身上披着骆驼毛的外衣。因为苦修禁欲，西方的绘画里常把他画成瘦骨嶙峋的样子。

他以约旦河的水为信徒施洗，宣告天国将要来临，也为耶稣施了洗礼，因此被称为“施洗约翰”。

施洗约翰在西方文学与美术史上最有名的故事是《莎乐美》中的一段。莎乐美是一名美貌女子，她的母亲是希律王的情妇，因为貌美，又善于舞蹈，希律王便渴求她跳一次舞，莎乐美不知为了什么缘故，要求以施洗约翰的头，作为跳舞的报酬。希律王答应了，在莎乐美跳完舞之后，砍下了施洗约翰的头，盛在银盘中，送给莎乐美。

莎乐美的故事在十九世纪盛行于欧洲，著名的画家像莫罗（Gustave Moreau），或文学家王尔德（Oscar Wilde）都处理过这个题材。

淫欲、禁忌、爱与恨、俗世爱情与苦修殉道，施洗约翰的故事里夹杂着许多复杂的隐喻，达芬奇是因为这个原因，一次又一次重复绘画施洗约翰的形象吗？

施洗约翰在《岩间圣母》里只是个婴儿，他似乎对自己未来一生的苦修、殉道、禁欲，甚至诡异的死亡，都还一无所知。

一无所知是达芬奇认为生命的最大悲剧吗？

仿佛我们活在一个不可知的宿命中，而宿命的每一步都已注定。

丹 · 布朗如何解读《岩间圣母》

丹·布朗的通俗畅销小说《达芬奇密码》对《岩间圣母》非常感兴趣。

丹·布朗用变位字的游戏把《岩间圣母》的英文名字 Madonna of the Rocks，转换成“男人骗局如此阴暗”（So dark the con of Man）。

小说中把关键的一把钥匙藏在卢浮宫的《岩间圣母》这张画背后。

第三十二章，丹·布朗发表了他对《岩间圣母》这张画的解读，认为这幅画受米兰“纯净受孕协会”委托，达芬奇特别为圣方济会教堂的祭坛画所创作。

丹·布朗特别解读这幅画中大天使的“手”像一把刀（前页上图），而圣母如鹰爪一般的手指捉着一个隐形的人头（前页下图）。

畅销小说成功地造成了悬疑，也造成了耸动，但是，其实并没有解答五百年来《岩间圣母》这件杰作争议不断的神秘性。

达芬奇的神秘性是人性深邃的不可知状态，任何太单一武断的解读可能反而简化了达芬奇生命哲学的丰富性。

一般读者会喜欢丹·布朗，思想深刻的读者可能会更喜欢达芬奇。

达芬奇的《岩间圣母》使他在米兰获得画界的声誉，他有了自己的画室，招收学生，也开始接受委托，为米兰的贵族们制作肖像。《抱貂的女子》就是这期间留下的一幅最著名的肖像画。

《抱貂的女子》画的是米兰公爵史佛萨的情妇中最受宠爱的一位，名叫加勒兰妮（Cecilia Gallerani）。加勒兰妮转身侧望，手中抱着一只银鼠。银鼠是米兰公爵的

抱貂的女子　1483—1490

又名《西西丽亚 · 加勒兰妮》
木板上油彩，56.2×40.3 厘米，波兰克拉科夫，扎托里斯基博物馆藏。

利塔圣母像　约 1490

帆布上蛋彩（原本是在木板上），41.9×33 厘米，俄国圣彼得堡，赫米塔希美术馆藏。这件作品可能是 Giovanni Antonio Boltraffio 依据达芬奇素描原稿创作的作品。十九世纪，米兰利塔（Litta）家族把这张画卖给沙皇亚历山大二世，因此成为圣彼得堡赫米塔希美术馆的收藏。

无名女子像　约 1490—1495

胡桃木油画，63×45 厘米，法国巴黎，卢浮宫藏。在暗郁的背景里，一种冷静无言的凝视，华贵、青春、美，都成为遥远不可企及的神秘。

家族徽章，也同时象征女性的贞洁温驯。从《抱貂的女子》图来看，达芬奇绘画世俗现实中的女子，与《岩间圣母》中神圣的女性并没有不同。仿佛内心的宁谧安详即是圣洁，宗教可以不假外求，只是内心对美与善良的不断修行吧。

“抱貂的女子”穿着米兰贵族当时时髦的服装，额上系着发带，特别引人注意的是女子的右手，似乎在抚摸着银鼠，却又透露着一种难以言喻的紧张，好像在生命平静的表面下，掩藏着汹涌的底层骚动。近代心理学家弗洛伊德，曾经对达芬奇画中的“手”做过比对分析，他认为达芬奇画中人物的“手”往往透露着创作者潜意识底层的神秘、悸动、焦虑，成为达芬奇绘画中最具象征性的符号。

加勒兰妮，大约十六岁吧，美到如烟如雾，转头微笑，看着远方，仿佛领悟了什么，却不发一语。

解剖学

在达芬奇的时代，由于宗教的禁令，并不能公开解剖人体，虽然，包括他的老师韦罗基奥在内，前期文艺复兴的许多画家都已经开始练习解剖，作为研究绘画的基础。

达芬奇在创作《圣杰罗姆像》（St. Jerome）时，为了表现圣人苦修的状态，伸长的右手拿着石块，石块用来惩罚自己，这个伸长的手臂，以及牵动的肩膀及颈部的肌肉与骨骼状态，达芬奇都经过解剖，在手稿中做了细密的记录。

老人与青年，他都做了记录。老年凝视青春，青春与衰老相互对望。达芬奇观察生命在不同状态的变化，肌肉发生什么样的变化，青春会变得衰老。衰老是青春的延

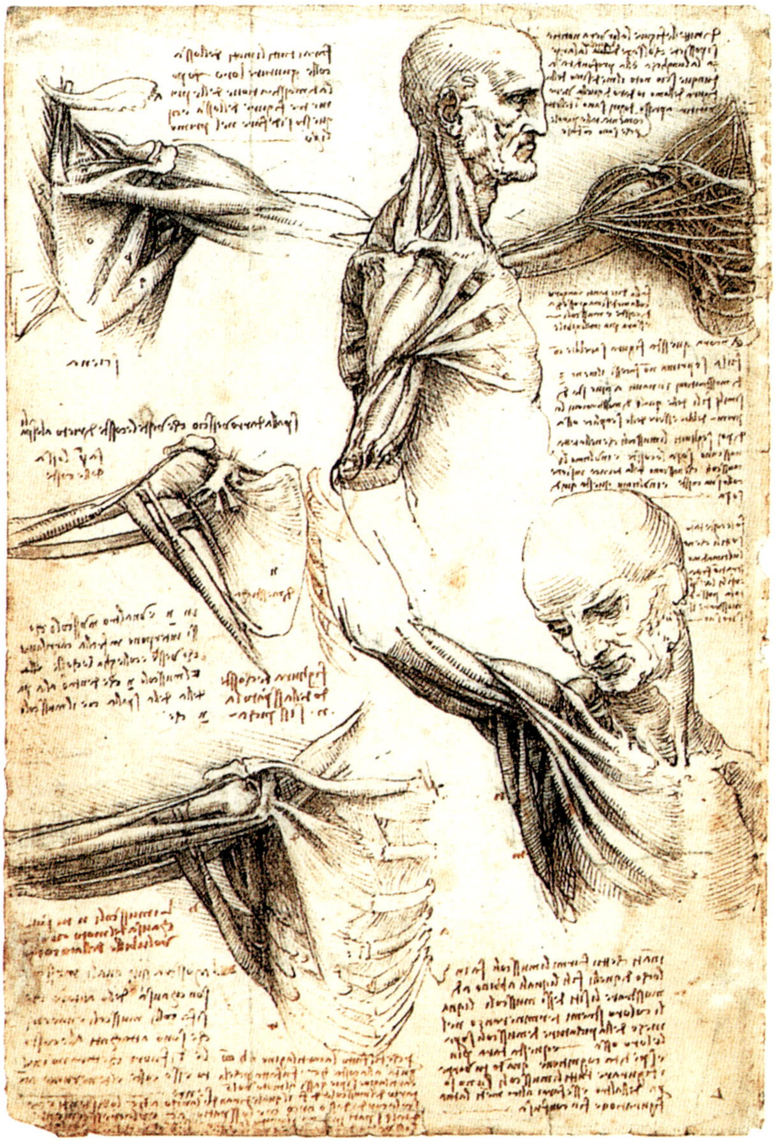

颈项与肩膀肌肉解剖研究　约 1510

钢笔与褐色墨水，29 × 20 厘米，英国温莎，皇家图书馆藏。

续，青春是衰老的回忆。

达芬奇使看起来血淋淋的解剖学有了诗意的内容。

他曾经解剖过三十具人体。他相信人体的骨骼和肌肉是一切结构的基础。他说：人是宇宙的准则。他尝试把人的头骨和腿骨用来设计建筑，他也比喻人的心脏就像一座教堂的内部空间。

他和尸体睡在一起。他也抱怨尸体腐烂太快，他解剖的记录还没有做完，已经开始发臭了。

人体是什么？在他用解剖刀一层一层打开人的皮肤、脂肪、肌肉之后，他发现了许多神奇的构造。

他发现了胃和整个消化系统的功能；他研究着以肺为中心，人体呼吸的功能；他发现了血流在动脉与静脉间的循环关系，他被认为是最早发现血管硬化的研究者。他切开了脑，尝试了解人的思维，他切开了眼球，试图探讨人类的视觉组织。

也许，堆放在达芬奇四周的器官，不再只是一种物质，而是他通过一页页的草图手稿，试图书写的一种生命的诗句吧。

他对肌肉、骨骼、手掌、小腿的解剖，比较容易了解是为了绘画的练习。但是，他描画的人体内脏、器官、血管、神经组织的草图，显然只是为了满足他对生命的好奇吧。

他切开了一名孕妇的子宫，了解胎儿的存在状态，也如同他切开了一粒果实的种子，了解植物胚芽的生长。

解剖学是生命科学的基础。

达芬奇很仔细地切开了一枚人的心脏。他分析了血流经由不同的管状组织进入和退出心脏的关系。他似乎不只是在解剖，他在一枚已经丧失功能的心脏里发现了生命涌动的努力。他形容心脏里的血流脉动，很像海洋潮汐的涨退。心脏是一个空间，被温热的血流涌进，扩张了，然后，血流退出，心脏收缩了。

在他解剖学的手稿中，科学是一种诗，不仅是严密的论证，也容纳了梦想与爱。

他对生命的本源怀着最大的好奇，他切开过女性的子宫、男性的阳具，试图了解在生殖交媾中人体的构造。

他对人体没有道德的偏见，人体首先必须是一种科学。

他在一次又一次的解剖中发现了人体许许多多的组织的秘密，然而，他似乎期待着：灵魂在哪里？爱在哪里？

也许解剖学上成就惊人的达芬奇，面对着一具一具支离破碎的人体，仍然会发出怅然疑惑的询问吧。

解剖学也许是通过死亡的研究期待生命的永恒现象吧。因此，解剖学里论证严密的达芬奇，必须在艺术的世界里把支离破碎的人体重新整合，使肺可以呼吸，使胃肠蠕动，使大脑开始思维，心脏跳动，血流在动脉和静脉间，眼球有了渴望，脸上的肌肉有了喜悦、忧伤、惊恐或和平，达芬奇的解剖学也许必须一一在他的画里找到印证，最好的例子莫过于他四十三岁的杰作《最后的晚餐》。

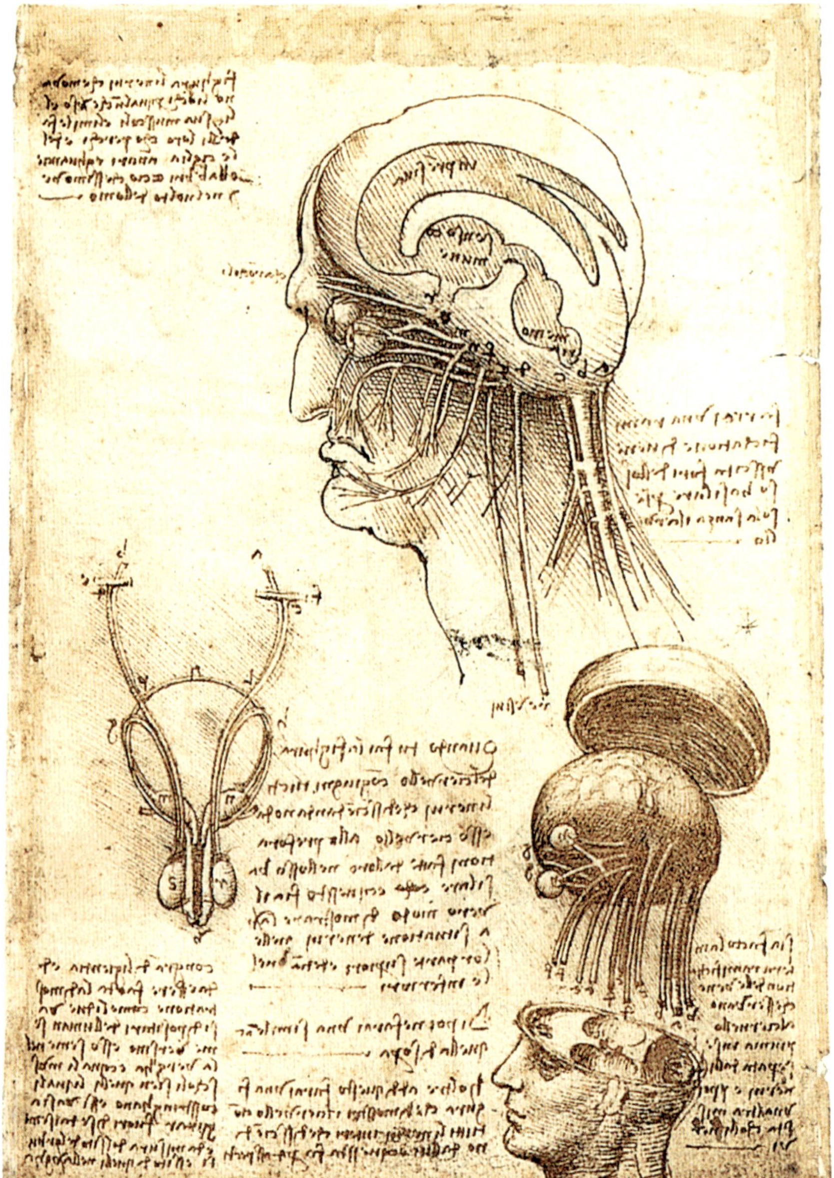

脑部与女性泌尿系统解剖研究　约 1510

钢笔与褐色墨水，19.2×13.5 厘米，奥地利维也纳，康斯珊隆博物馆藏。

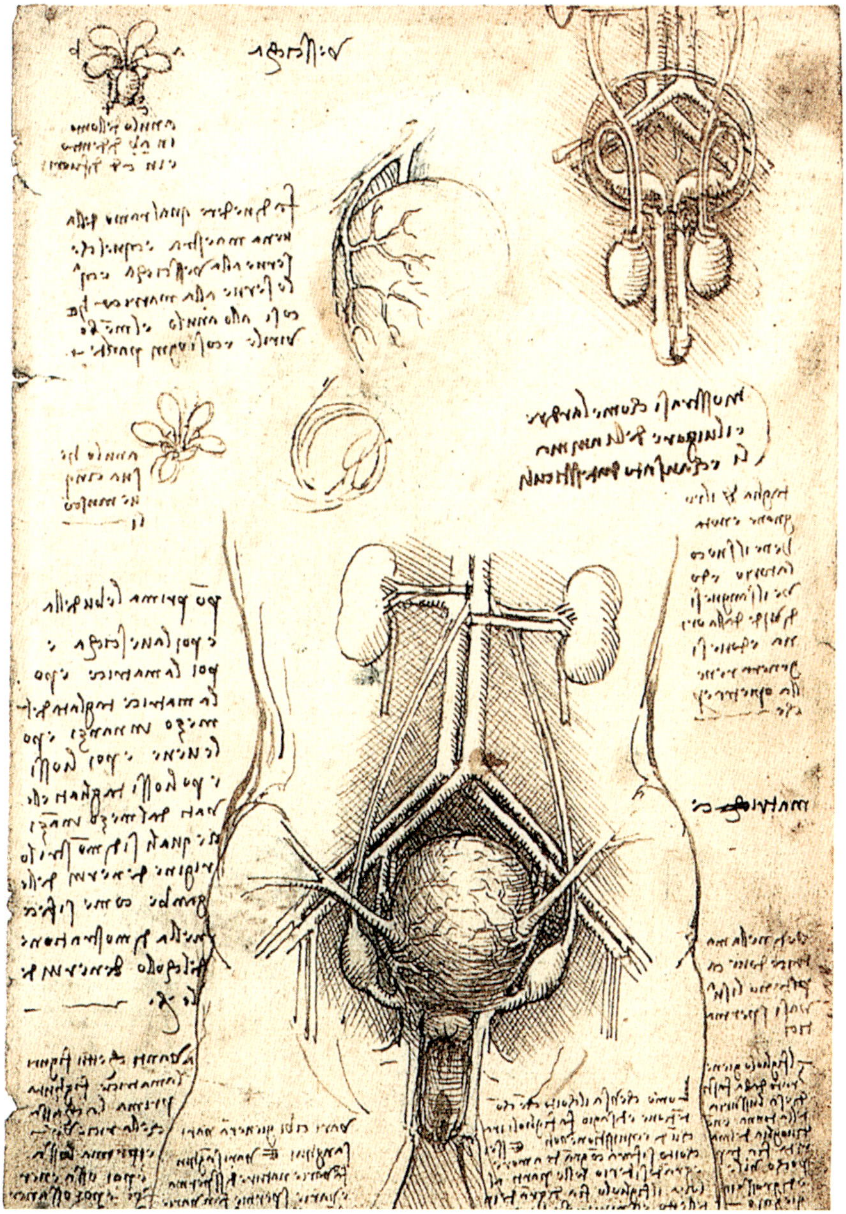

男性与女性泌尿系统解剖研究　约 1510

钢笔与褐色墨水，19.2×13.5 厘米，奥地利维也纳，康斯珊隆博物馆藏。

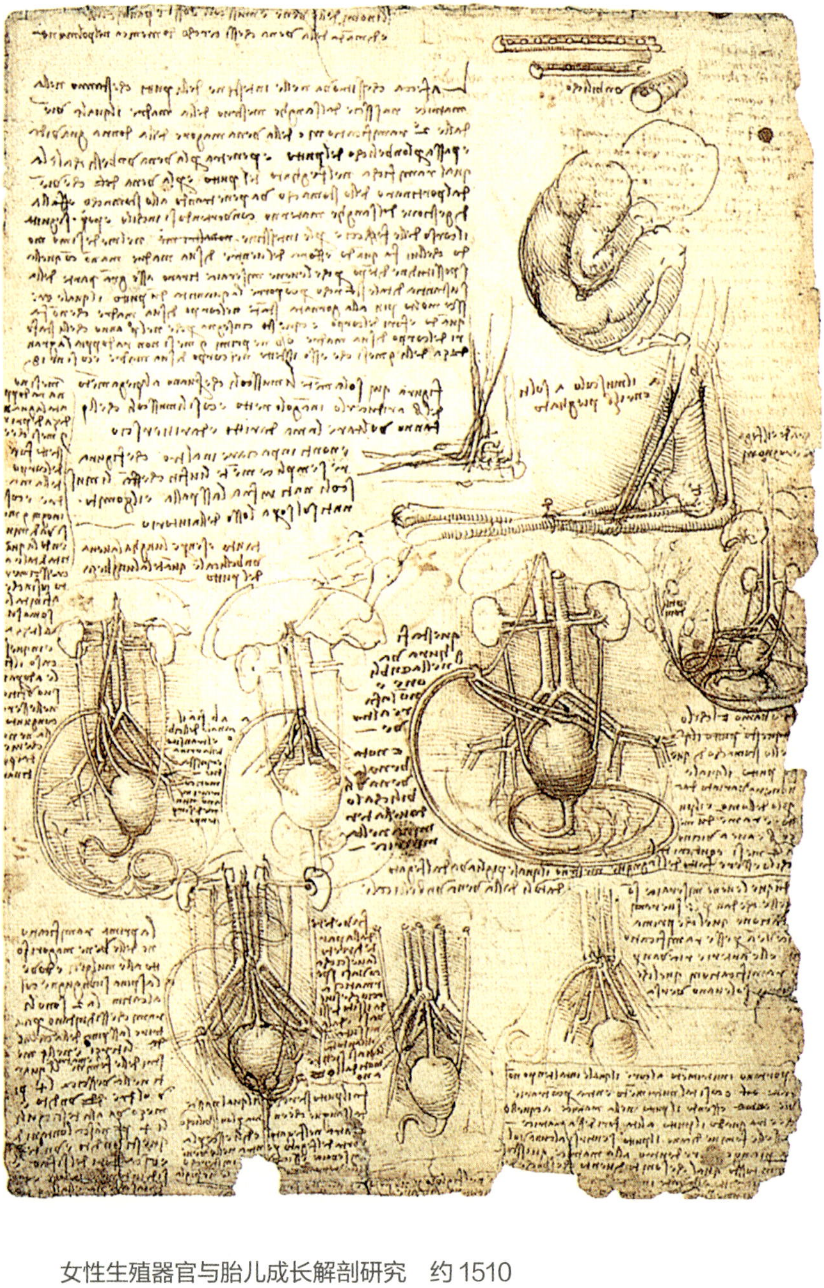

女性生殖器官与胎儿成长解剖研究　约 1510

钢笔与墨水，30.2 × 21 厘米，英国温莎，皇家图书馆藏。

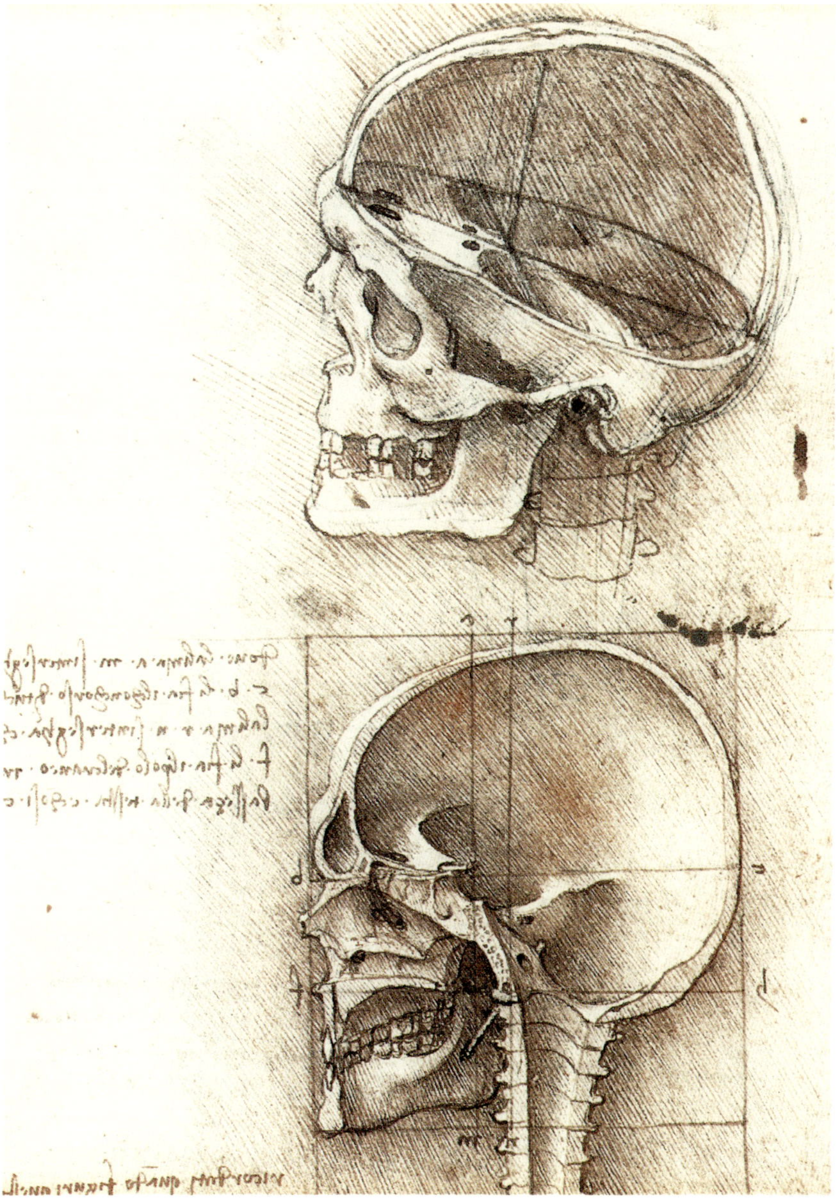

头骨解剖研究　约 1489

钢笔与墨水覆上黑粉笔，18.7×13.5 厘米，英国温莎，皇家图书馆藏。

最后的晚餐

“最后的晚餐”是《圣经》图像中最常见的一个画面。描写耶稣和十二门徒进入“客西马尼”（Gethsemane），坐在一起用餐。耶稣已预告门徒中犹大出卖了他，他将被逮捕，应验宿命中死在十字架上的结局。

耶稣预告了自己的死亡，他最后一次与门徒们一起用餐。他把面包分下去，说：“你们吃吧，这是我的身体。”又把红酒分下去说：“你们喝吧，这是我的血。”

一般从宗教的教义来看，“最后的晚餐”是基督教信仰的仪式，也是至今仍保存的天主教“弥撒”的起源，在仪式中进行领受圣体（面包）和圣血（红酒）的象征。

达芬奇从一四九五年开始在米兰多明尼加修道院的圣玛利亚感恩教堂的餐厅绘制这件巨作。这个工作延续了三年，使公爵和修道院不满，甚至发现达芬奇常常一整天面对空白的墙壁，没有动笔。

达芬奇凝视着空白，凝视着一切的未知，如同耶稣凝视着自己死亡和永生的未来。达芬奇不再是重复宗教上一再重复的“最后的晚餐”，他要实验、思考，创造出历史上最伟大的一幅《最后的晚餐》。

如果生命预告死亡，将会有什么表情?

达芬奇把十二门徒分成四组，每三个人一组，他们有些惊恐，有些忧伤；有些指天发誓，有些扪心自问；有些天真无邪，有些充满疑虑。达芬奇走遍米兰的大街小巷，寻找各式各样人的表情，年轻的、老的、善良的、邪恶的、高贵的、卑微的、美丽的、丑陋的。当基督说“你们之中有人背叛了我”时，门徒们一刹那间震动了起来，他们的手，像音乐中的符号，在巨大的画作中形成了旋律和节奏。然后，坐在正中央的耶稣只是低垂着头，他沉湎在自己的思维中，摊开双手，形成一个稳定不动的金字塔的三角形。

预知死亡，不再只是宗教的训示；预知死亡成为达芬奇世界生命的必然结局，在惊恐、慌张、痛苦、哀求、逃避之后，达芬奇试图给面对死亡一清如水的平静吧。

《最后的晚餐》中有严谨的透视法，每一条分割的线都准确地向三度景深的焦点集中，以耶稣为中心点，上下左右的律动都有了规则，在骚动变化中有了静定永恒的力量。而那静定与永恒的力量竟是宣告死亡的力量；死亡成为唯一而且永恒不变的结局。

《最后的晚餐》从宗教的仪式转化为生命的仪式；十三名纯男性的餐桌上，信仰与怀疑，忠诚与背叛，圣洁与邪恶，死亡与永生，展开了丰富的对话。

《最后的晚餐》五百年来成为人类试图解开谜语的主题，这是达芬奇最成功，也是最失败的作品。

失败的原因，在于达芬奇对实验材料与技法的好奇。在应该画湿壁画（Fresco）的灰泥墙壁上，他实验性地使用了蛋彩加油的材质；这种实验画了一半，他已经发现其中的错误，但画作并没有停止，他仍然继续下去。达芬奇似乎并不关心一般世俗的“结果”，对他而言，科学的发明，美术的创造，更重要的是思维的过程。

一五三六年，距离达芬奇完成《最后的晚餐》四十年后，传记家瓦萨里到米兰时，这件作品已斑驳漫漶不清了。十七世纪，修道院为了使餐厅有一个门通向厨房，在墙壁上打了一个洞，画再度受损。

然而五百年来，全世界科学及艺术的精英都在努力保存及修复这件杰作，仿佛我们从达芬奇身上得到的并不是一幅画，而是他对生命创作的动力。如同他许许多多未曾完成的手稿， 他的飞行器，他的降落伞，他的潜水船，他的理想城市的规划，他跨越水流的大桥，那些梦想，在他手稿中一一完成了。在现实世界，可能因为太前卫，

不能被当时接受；可能经费不足，没有执行的人力……种种原因，使他的创造在此后的五百年，在各个领域，成为启发人类科学、医学、流体力学、飞行理论、人体解剖、植物图鉴、机械工程、建筑、都市规划…… 各个方面最重要的基础知识。

他的许多失败的实验，使此后的人类在各个领域获得了成功。

蒋勋解读

第一组门徒

第一组门徒是耶稣右手边的三位，依序是：约翰、彼得、犹大。

约翰是传耶稣福音的四位使徒之一，他年轻、善良，个性里有诗人的抒情气质，在西方美术上常被处理成带女性温柔的图像。

约翰向耶稣的另一边倾斜，仿佛不相信有人会背叛耶稣，呈现出他一贯的单纯善良。

犹大右手靠在餐桌上，和约翰的身体平行，也微微向后倾斜。约翰双手交握在前面，有一种安定祥和，犹大的左手微微张开，他其实有一点讶异，耶稣怎么知道有人背叛了他，犹大正是以三十个银币出卖耶稣的门徒。

彼得原来在犹大身后，听到耶稣说：你们中间有人背叛了我。彼得便冲向前，越过了犹大，仿佛要追问：谁，是谁背叛了？

彼得是耶稣的大弟子，脾气冲动，爱恨分明，耶稣最后把天国的钥匙交付给他，也就是第一任的梵蒂冈教皇。

这一组人呈现三种截然不同的内心表情，借着三个人物达到画面最富戏剧性的张力。

第二组门徒

耶稣左手边的第二组门徒，依序是：汤玛斯、大雅各、腓力普。

第一位汤玛斯手指向上天，仿佛要上天作证，不会有人背叛耶稣。

第二位大雅各双手大大张开，微微张着嘴，他似乎被耶稣的话震惊了，表情姿态都说明他情绪被震撼的反应。

第三位腓力普与前面的大雅各刚好相反，他双手向着自己胸前，好像扪心自问，要求耶稣相信弟子们的忠诚。

三个门徒强烈的情绪表情，衬托着中央耶稣脸上一清如水的模样。

如果有一种智慧，可以预知生命未来种种，那么，会不会是这张画里耶稣脸上的一清如水呢?

一清如水，是他已超越了忧伤，也超越了喜悦。

第三组门徒

最左侧的三位门徒是：安德烈、小雅各、巴托洛摩。

这三位门徒的脸孔都朝向同一个方向，朝向构图中心的耶稣，也呼应最右侧三位门徒。

为了使画面构图不呆板，达芬奇特别使门徒安德烈的双手举起，朝向另一个方向，也加强三个人一组的局部和谐性。小雅各和巴托洛摩则全神贯注，好像离得远，想更确定耶稣说的话，集中中心点构图的力量。

第四组门徒

最右侧的三位门徒是：马太、达太和西蒙。

马太穿蓝袍，转身看着西蒙，但他的身体手势，尤其是右手，则伸向中心点，使一字排开的十三个人物之间有轻微的节奏转折变化。

这三个人似乎在窃窃私语：老师怎么会怀疑我们，我们是他最忠实的门徒啊！

完全侧面的门徒西蒙，站在最右侧，远远呼应着最左侧的门徒巴托洛摩。

蒋勋 VS 丹・布朗

丹・布朗如何解读《最后的晚餐》

丹・布朗在《达芬奇密码》小说的第五十五、五十六、五十八三章中集中论述达芬奇的名作《最后的晚餐》。

丹・布朗提到这件名作中的两个疑点：

第一，耶稣右手边第一个人物是一个女人，是《圣经》里的一个妓女“抹大拉的马利亚”，丹・布朗认为她就是耶稣的妻子，为耶稣怀了孕，但被以彼得为首的男性门徒篡夺了教会主导权，因此带着“圣爵”（即耶稣子嗣）逃亡，演义出这本通俗小说非常“好莱坞式”的情节。

第二，犹大的背后有一个握着刀的手，这只手不属于画中的任何一个人。

这两个疑点其实长期以来一直被艺术史家注意到了；只是丹・布朗用了聪明的美国式头脑把这两个疑点变成商业上可以行销的成功卖点。

先谈第一个疑点。

门徒约翰在西洋美术史中一直是年轻俊美的人物，在一群男性性征强烈的门徒中，常会被误以为是女性，他善良、温柔、驯顺，这些特质，当然可以是女性的，但也可以是男性的。

达芬奇本身同性恋的性向也特别使他会在性别角色上处理得不同一般画家。

收藏在德国的一张手稿《肉身天使》，达芬奇曾经把一个年轻人物处理成兼具女

性乳房及男性阳具的裸体。

在性别的议题上，达芬奇的深邃，恐怕不是丹·布朗如此简化的小说就可以解读的。

此外，如果丹·布朗说画中耶稣右手第一人是耶稣的妻子，那么，十二门徒少了一位，另外一位到哪里去了，《达芬奇密码》显然还是没有解开密码。

第二个疑点，关于犹大背后的“握刀的手”，显然是达芬奇非常超现实的安排。画面中暗藏杀机，但“杀机”来自于谁？一贯的解读当然是“犹大”，因为他以三十个银币的赏金，出卖了耶稣，耶稣因此被罗马士兵逮捕。

丹·布朗大胆武断地说这“握刀的手”表示彼得篡夺了耶稣的教会授权，排斥了耶稣的妻子，使梵蒂冈成为纯男性教会。

从通俗小说的角度来看，这种解读当然是耸动的卖点，也获得很大的成功，但是，用以解读达芬奇的杰作《最后的晚餐》恐怕缺乏更有力的支持论据，读小说的读者，姑妄听之，在艺术史领域是不能认真的。

神秘的领域

经由达芬奇许多手稿，我们常常会获致一种结论：达芬奇是一个理性的人。

也许吧，在他探索宇宙一切的未知世界时，他首先是以科学论证的分析进入对现象的讨论。如同他把沙放进漏斗中，观察漏斗上的刻度，用来计算时间；如同他用水流过管子的刻度标尺的方法计算时间；如同他最后发明了用齿轮旋转带动的计时器。科学精准的计时器被发明了，我们有了计算时间的科学方法，但是，在达芬奇的思维终点，似乎仍然悬疑着一个未曾被解答的问题：时间是什么？

科学的时间，哲学的时间，是多么不同的两种命题。

科学的时间和计量，似乎丝毫没有帮助哲学上时间命题的解答。

因此，达芬奇的科学领域之外存在着一个更辽阔、更无限的神秘领域。

他发呆般出神地看着一滴水掉落水面，看到一滴水的重量如何在平静的水面上震

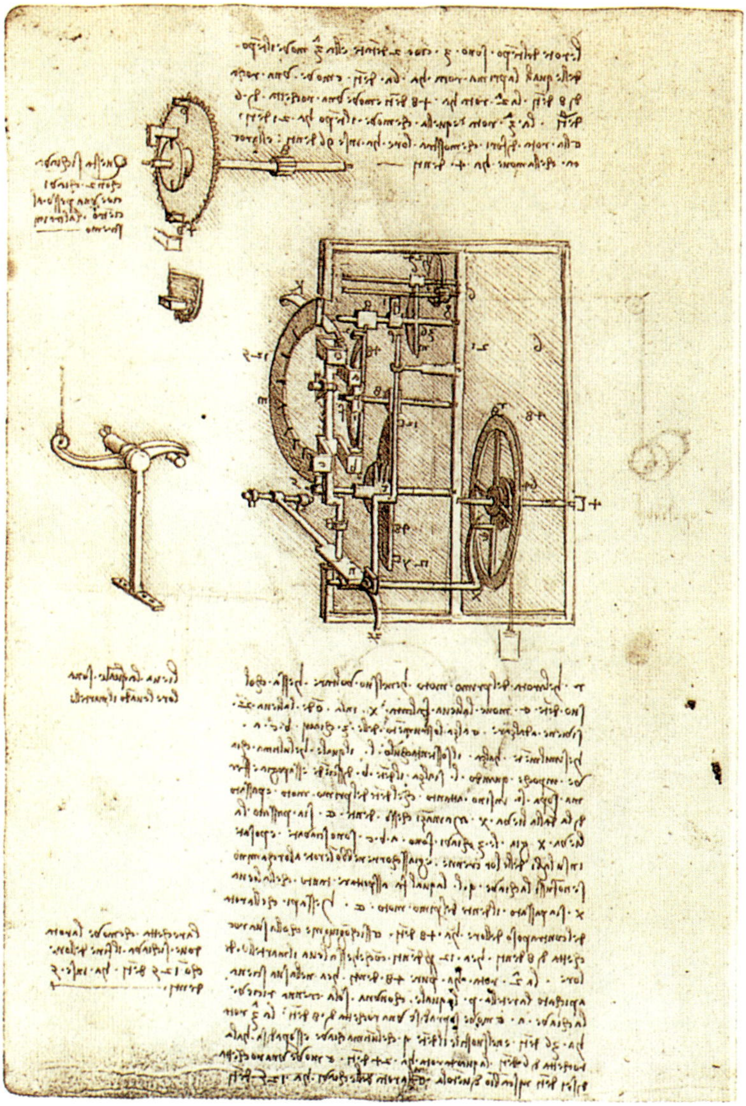

有铃的时钟机械　约 1495—1498

钢笔与墨水，西班牙马德里，国家图书馆藏。

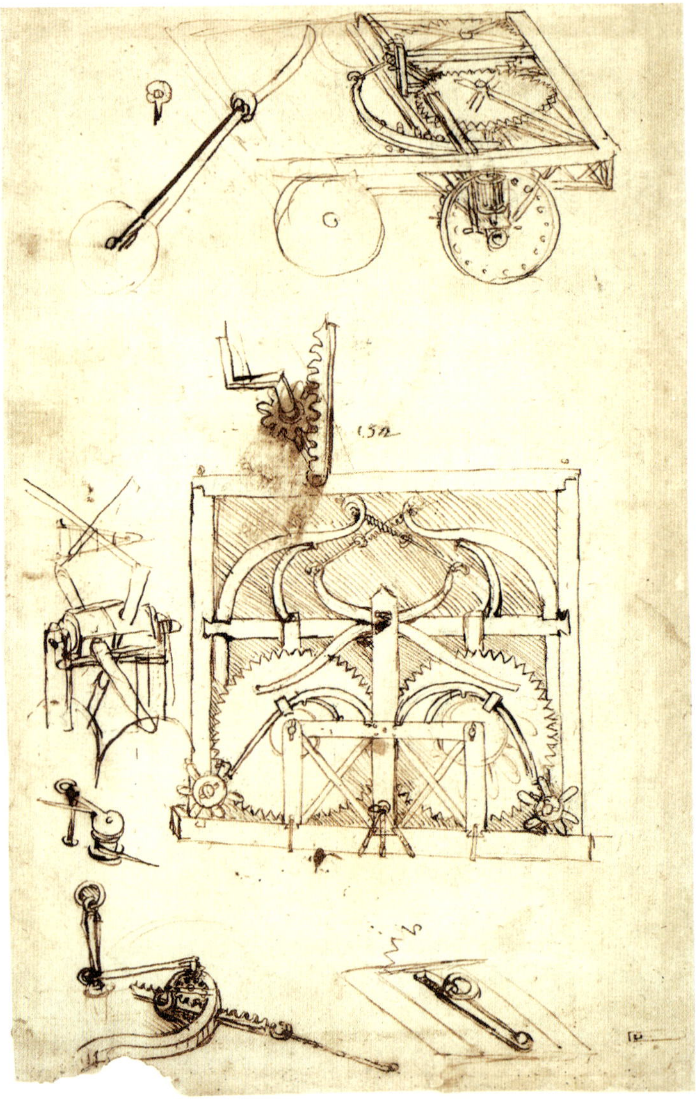

自动机械设计图　约 1493

钢笔与墨水，21×15 厘米，意大利米兰，安布罗西安图书馆藏。

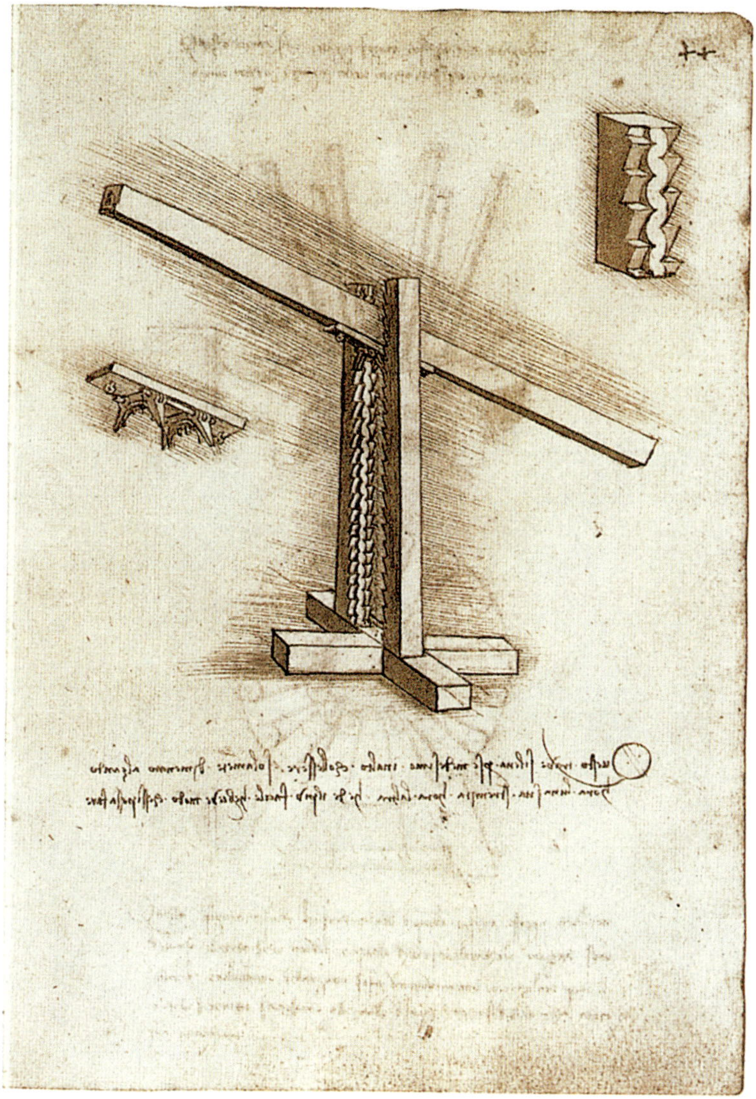

横梁升降装置　约 1493—1497

钢笔与墨水，21.3×15 厘米，西班牙马德里，国家图书馆藏。

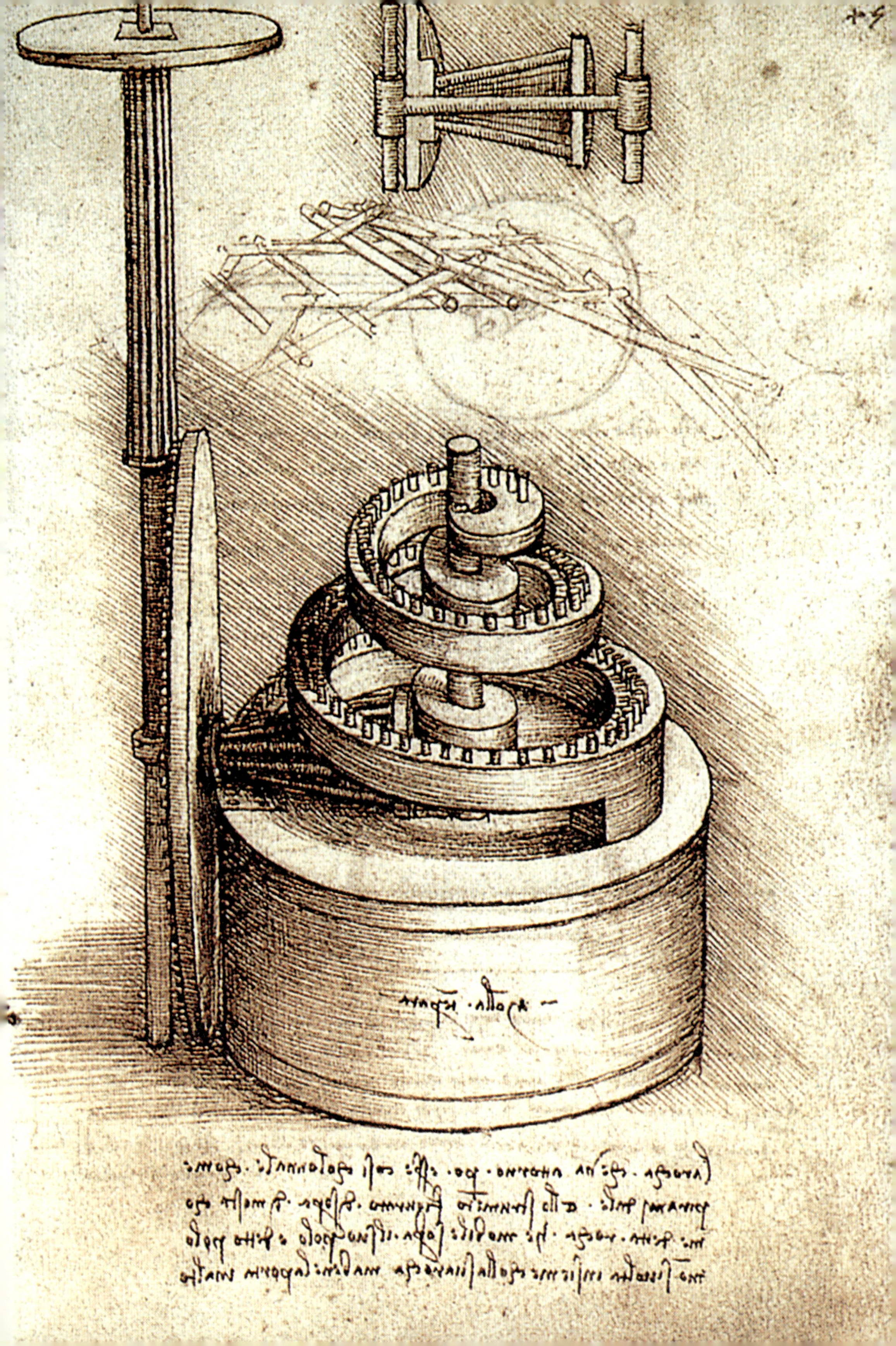

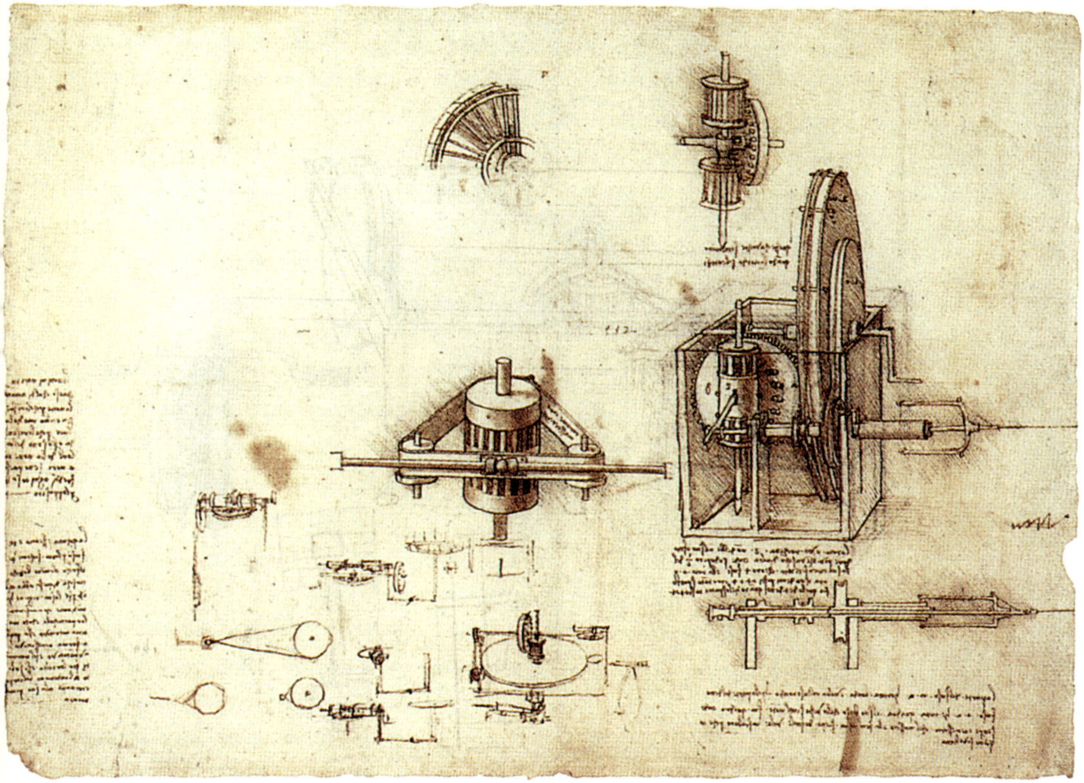

自旋机器设计图　约 1495

钢笔与墨水，28.6×41.5 厘米，意大利米兰，安布罗西安图书馆藏。

时间机器中的弹簧传动装置草图　约 1495—1498

钢笔与墨水，21×15 厘米，西班牙马德里，国家图书馆藏。

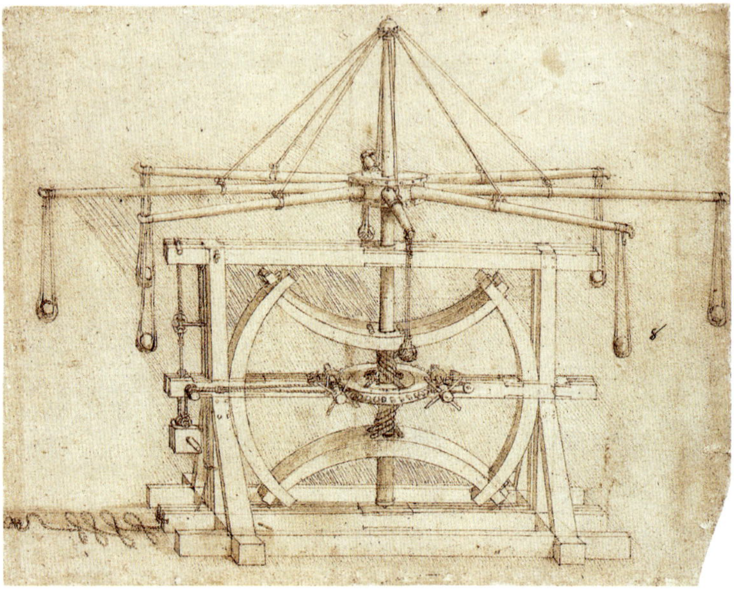

弹弓机械　约 1485

钢笔与墨水，20.8 × 26.5 厘米，意大利米兰，安布罗西安图书馆，
大西洋手稿。

荡出一圈一圈的波纹。波纹有规律地向外扩散，他想到声音；他相信声音也是一种波，向外扩张，甚至可以比水波传得更远。

他也凝视着一支蜡烛的火焰，专注地思维光传布到整个空间的速度。他相信，光的速度可能比声波更快。

在他的时代，有关声音和光的科学都还没有开始，他对声音和光的探讨，几乎不是一种科学，而是一种诗、一种美学。他使自己沉浸在声音、水波、光的氛围中，不是思考，而是使自己幻化成声音、水波、光，使自己的身体感觉到宇宙一切存在事物最神秘的核心。

他使物理学如同“诗”一般迷人，可以被感悟，却无法论证。

一四九九年，他离开了米兰，回到佛罗伦萨，认识了政治理论的著名学者马基雅弗利，他得到了赏识，为残暴的君王凯萨·布乔亚（Cesar Borgia）担任军事工程师

弹弓机械　约 1485

钢笔与墨水，20.8×24.2 厘米，意大利米兰，安布罗西安图书馆，大西洋手稿。

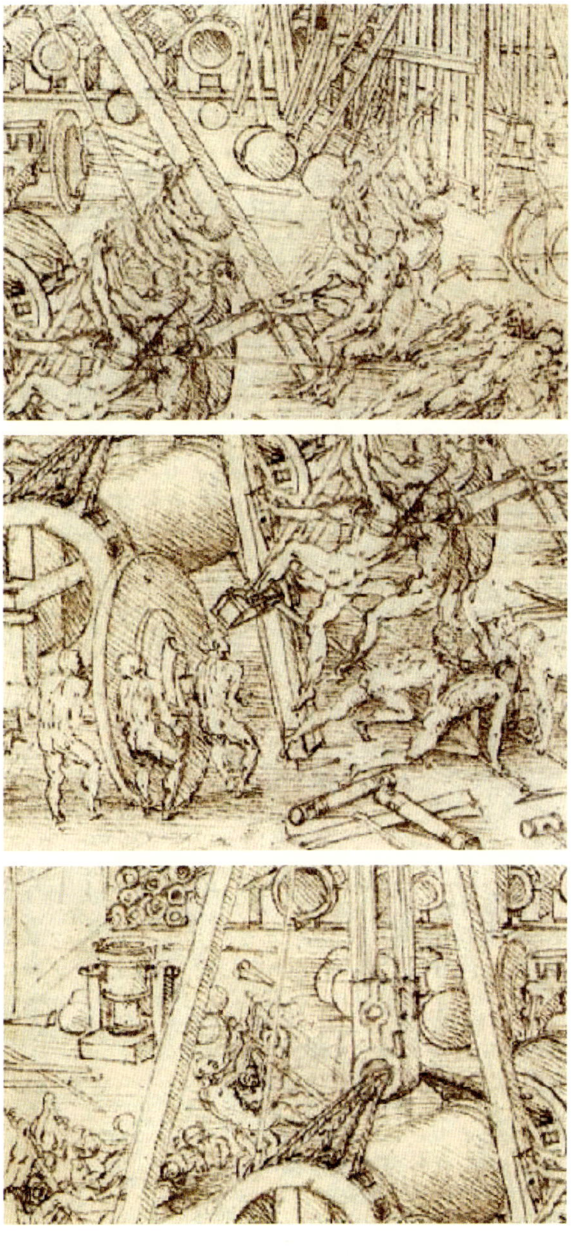

阿提勒利公园

的工作。他因此绘制了军事的地图，设计了碉堡，设计了自动发射箭弩的武器，设计了大炮，设计了有旋转镰刀的战车。

这些武器和军事设施大部分仍然被认为不实用，停留在手稿的阶段。

他经由威尼斯回佛罗伦萨，为威尼斯人设计了抵抗土耳其人攻击的船舰，精细地研究了在水中潜舰的各种功能，而这时，似乎他对战争极其沮丧，他不愿意公开这些惊人的发明，担心这些科学的设计一旦为邪恶者利用，将在海底屠杀生命。

达芬奇更沉浸于自己的神秘领域，他在这一段时间也画了最多传世的名作，如《卷纱圣母像》《圣安妮像》，以及最著名的《蒙娜丽莎》。

在科学的探究之后，他似乎感觉到“美”是一个更大的领域，就像通过一次一次的科学的解剖，他并没有在人体中找到被称作“灵魂”的东西。“灵魂”在哪儿？他在巨大的幻灭中回到美的领域，试图把理性分析切割过的肢体重新整合。“美”并不是科学，“美”存在于心灵最神秘的核心。美不是一种肌肉，但美是一种微笑。

微笑的开示

一五〇〇年，回到佛罗伦萨的达芬奇，四十八岁，开始着手《圣母、圣子、圣安妮与施洗约翰》的素描。这件素描目前保存在英国的国家画廊，也许比他许多油画的作品还要迷人。

这是一幅一再修改的素描，柔和的光影，单色系色彩的层次，一种神秘的气氛，使整件作品置身在一种难以确定的朦胧中。他使视觉和复杂的心理因素相糅合，使视觉远远超过了科学的理性与逻辑，使视觉仿佛混合着薄薄的泪水的光，视觉如水波荡漾了起来。我们看到的，不再是形象，而是记忆，是久远遗忘在内心底层的许多记忆，忽然被轻轻呼唤了起来。

《圣母、圣子、圣安妮与施洗约翰》其实延续了他早先的《岩间圣母》。他在画

圣母、圣子、圣安妮与施洗约翰　约 1499—1500

伯灵顿学院大型草图，薄纸板上黑色粉笔与铅白颜料，
141.3×104 厘米，英国伦敦，国家画廊藏。

面中令四个人互相交错凝视——圣安妮、圣母、耶稣与施洗约翰。在《圣经》故事中以后各有宿命的四个人物，在悲痛的宿命来临之前，似乎暂时有着一片宁静祥和。婴儿的施洗约翰向耶稣礼拜，婴儿的耶稣举手施以祝福，他们都还是婴儿，天真烂漫，然而宿命的悲剧已如此凝重。圣安妮与圣母无限慈蔼地看着婴儿，她们知道宿命，她们也不抗拒宿命。圣安妮一手指向上天，达芬奇永远指向神秘领域的手势再次出现；脸上如轻雾般（Sfumato）淡淡的不可思议的微笑，仿佛一切领悟与启示尽在这微笑中，只显现给心里的默契。不是文字，不是语言，甚至不是形象，只是一种心灵的状态。达芬奇要借这样的微笑宣告“美”，宣告在巨大的幻灭之后真正信仰的力量吧。

这样的微笑，在稍后的一五〇三年到一五〇七年，当他创作《蒙娜丽莎》时再次出现。

蒙娜丽莎是贵族吉奥孔达（Gioconda）的第三任妻子，名字是玛丹娜·伊利莎贝塔（Madonna Elisabetta）。许多传说附会在这件举世闻名的画作上，关于达芬奇如何使音乐带动她脸部的微笑，关于画中女子失去孩子的哀伤如何掩盖在微笑之下，关于达芬奇如何处理她身上每一个衣服的皱褶，关于她柔和的手如何透露着怀孕的讯息，关于从小失去母亲的达芬奇如何将女性的美理想化到了极致，关于《蒙娜丽莎》是不是达芬奇自己的自画像，或另一名他表爱的美貌男子……

掩盖在《蒙娜丽莎》的微笑下，只是世人对“美”惊慌的掩饰吧。我们或许极不习惯如此宁静自在的“美”，“美”使我们手足无措。我们试图用各种破解的方法使

借着基督教中圣母的角色，达芬奇创造了最宁静祥和、最具内敛气质的女性之美。

自己在“美”的面前有理论的依据。

然而，美是不需要论证的。

在经过最缜密的科学论证之后，达芬奇似乎更相信：“美”是一种直觉，但只显现给心地单纯的人。

《蒙娜丽莎》和《圣母、圣子、圣安妮与施洗约翰》一样是达芬奇以微笑开示的两件杰作，他返璞归真，使观画者可以看到自己生命的自在与宁静，宽和与悲悯。

《蒙娜丽莎》微笑看着千千万万到她面前的观众，从含着泪水的敬拜，到最不屑一顾的鄙视，对“她”而言，却只是一清如水而已罢。

画家在五十三岁有了这样的领悟。

这张画一直留在他身边，他说：因为还没有画完。

要到许多年后这张画才去了法国。

蒙娜丽莎　1503—1507

木板上油彩，法国巴黎，卢浮宫藏。《蒙娜丽莎》是达芬奇以微笑开示的两件杰作之一，他返璞归真，使观画者可以看到自己生命的自在与宁静，宽和与悲悯。

达芬奇与米开朗基罗

一四七五年诞生在佛罗伦萨的米开朗基罗，比达芬奇小二十三岁。这两位文艺复兴时代的伟大天才，应该在这个当时人口不超过十万的城市有许多相遇的机会。但是，其间达芬奇在米兰居住了十八年，等他五十岁以后回到佛罗伦萨，才有机会与当时大约三十岁的米开朗基罗在一起工作。

他们同时受佛罗伦萨市政厅的委托，在墙壁上绘画战役图，达芬奇创作以米兰与佛罗伦萨战役为背景的《昂加里之役》，米开朗基罗在墙壁另一端画《卡西纳之役》。

也许应该是历史性的相遇吧。

但是，两人相处并不愉快。

达芬奇身上有许多从小培养起来的优雅，讲究穿着，谈吐举止含蓄内敛，身边总

是围绕着俊美的青年男子；而米开朗基罗则脾气暴烈，从小鼻梁折损，相貌黑瘦。达芬奇有着科学家与哲学家的冷静沉着，米开朗基罗则是浪漫诗人的狂烈激情。达芬奇追求着颇为享乐的甚至肉欲的满足，米开朗基罗对贵族男子的爱几乎升华成为纯精神的美学，他的诗作及情书集都成为情欲转化的作品。

达芬奇对面前的青年天才总是彬彬有礼，善意相待；米开朗基罗则对大他二十岁的达芬奇怒目相向，嘲笑他不能完成的许多空想。

他们两人在各自的生命领域中都是巍峨的大山，耸峻广大，他们似乎也无法忍受阻挡自己面前另一座大山的压力。

在同一个市政大厅中短短的共同工作很快终结了，两人都留下未完成的“战役图”，各自奔赴其他的工作领域。

这短短的天才式的相遇，仿佛遗憾，仿佛误解，仿佛某种宿命的交错，使如此不同的生命形态相遇，却未必能够彼此了解。也许对两方面来说，生命都还有太多未知的空白，众人仰望的巨大心灵，在另一方面来看，却只是巨大的孤独与巨大的寂寞之情吧。

最后的岁月

达芬奇晚期的画作非常少，也经常被忽视。但是有两件作品是值得提出来讨论的。

一件是《丽达与天鹅》。

丽达是斯巴达的王后，因为貌美，引起万神之神的宙斯倾慕，宙斯化身为天鹅，与丽达交媾。

达芬奇几乎是唯一的一次处理女性裸体，女性胴体与蜿蜒的天鹅曲线颈脖紧贴纠缠，使原来希腊神话中隐含人兽交媾的故事更加重了情欲感官的渲染。

将近六十岁的达芬奇，躲在米兰的墓穴中解剖尸体，在解剖刀下，他看到的“人”是一堆物质：毛发、器官、皮肤、骨骼……这些“物质”使他在绘画时更强烈地追求着官能的悸动。仿佛他要借着那些古老神话中非常原始的情欲描述，对抗着人肢解成一堆物质的惧怖与沮丧吧。

丽达与天鹅　1505—1510

在科学上，达芬奇以无限的怀疑透视物理的规则，然而，在美学的领域，他又如此渴望信仰、渴望一种单纯的爱或体温。

他试图以绘画颠覆神话或宗教的隐喻。

除了《丽达与天鹅》之外，另一件值得注意的是《施洗者圣约翰》。这一件现藏卢浮宫的作品，呈现着非常令人不解的神秘性。“施洗约翰”依照《圣经》的解释是居住在旷野的先知，骨瘦如柴，披着兽皮，表情刚毅，是一苦修的僧侣。达芬奇似乎有意颠覆传统宗教“施洗约翰”的形貌。他使“施洗约翰”身体丰盈如女性，肉感逸乐，脸上带着诡异神秘的笑容，一手指向上天，充满隐喻暗示。达芬奇使基督教的圣者“约翰”交错着希腊异教类似酒神的欲乐表情。

这件晚年的作品也许透露着达芬奇多重矛盾的复杂世界吧。男性—女性，苦修—逸乐，升华—堕落，圣洁—沉沦，老年—青春，诞生—死亡，忠实—背叛，喜悦—忧伤，爱—恨：达芬奇最后看到的也许是一个两面而一体的世界，在现世中对立而且矛盾的两端，似乎在他理念的世界都可以统合起来了。

如同他研究着人类的飞行可能，试图把鸟的飞翔转化成人造的翅翼，实现飞行的梦想，而同时，他也设计了降落伞。在使人类飞起来的同时，他也思考着人类的坠落。他似乎不只是一位科学家，他在精密的科学领域关心着哲学的本质命题。

面对达芬奇老年时的自画像，也许可以约略想见他在生命的终点前凝视自己生命的冷静与坚定吧。

书写他传记的瓦萨里说：“他脸上的美，使哀伤者得以平静。”

是什么力量可以使“哀伤者平静”呢？

达芬奇的晚年，身体衰弱，一五一四年他接受教皇利奥十世的邀请到罗马，心脏病发作，右臂瘫痪。身体病痛之时，他仍专注于观察“水”，他把种子丢在水中，试图了解水的流向和速度，他又在两条交汇的水流中加入颜色，了解水流运动与融合的关系，他发现水流的力量非常像血液的循环，他也许想到了自己衰弱的心脏，他幻想着：“心脏的血液涨退，如海洋的潮汐。”

他仍然坚持科学可以是一种诗意的美学。

一五一七年，六十五岁的达芬奇受法国国王法兰西斯一世的邀请到法国，准备为这个胸怀大志的国王设计一个理想的城市。他把年轻时为米兰设计的城市蓝图拿出来修改，但越来越沉重的疾病已使他无力工作。

一五一八年，住在昂布瓦兹的达芬奇病重垂危，熬过这个艰难的冬天，四月二十三日他写好了遗嘱，五月二日逝世。

传记作家夸张地描述他死于国王法兰西斯一世的手臂中，事实上，是他二十七岁的弟子梅尔济（Francesco Malzi）伴随他度过最后的时刻。

他在遗嘱中写道：“一日充实，可以安睡；一生充实，可以无悔。”

自画像　1516

33.3×21.3 厘米，意大利都灵，都灵国家画廊藏。

他六十四岁了，如此苍老，却又如此坚毅，目光炯炯，看着他眷恋过，却又即将告别的人间。

漩涡与沉思老人素描　约 1513

钢笔与墨水，15.2×21.3 厘米，英国温莎，皇家图书馆藏。

达芬奇一生不断思考水，水的重量，水的体积，水的流速，他在两股水里放进不同的颜色，观察它们汇合时的状况。他观察水、思考水，做了许多有关“水”的手稿记录，最后运用在桥梁、堤防、水坝的建造上，成为流体力学之父。

旷野中的圣约翰　1510—1515

丽达　1510

救世主　1500

附录 | 重要作品列表

1472—1473

耶稣基督受洗图

意大利佛罗伦萨
乌菲兹美术馆
P.016

1475

天使报喜图

意大利佛罗伦萨
乌菲兹美术馆
P.021 / P.022

1481

圣杰罗姆像

梵蒂冈
梵蒂冈博物馆
P.030

1481

东方三贤士的朝拜

意大利佛罗伦萨
乌菲兹美术馆
P.034

1483—1490

抱貂的女子

波兰克拉科夫
扎托里斯基博物馆
P.044

1483—1485

岩间圣母

法国巴黎
卢浮宫
P.048

1506—1508

岩间圣母

英国伦敦
国家画廊
P.049

1510

性交解剖研究

英国温莎
皇家图书馆
P.052

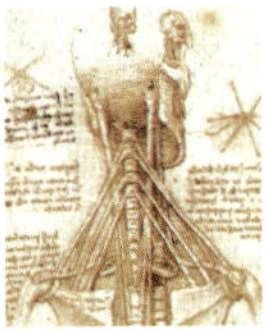

1510

颈部肌肉解剖研究

英国温莎
皇家图书馆
P.054

1508

飞行机器

法国巴黎
法国协会图书馆
P.068 / P.069

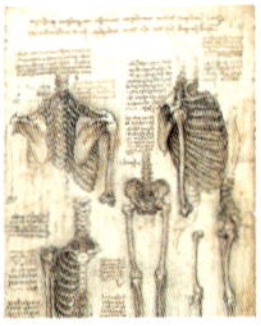

1510

骨骼系统解剖研究

英国温莎
皇家图书馆
P.055

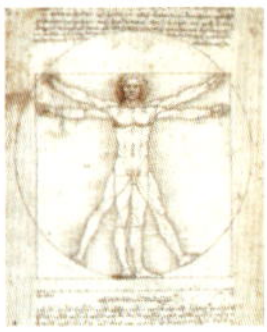

1490

维特鲁威人体比例图

意大利威尼斯
艺术学院
P.075

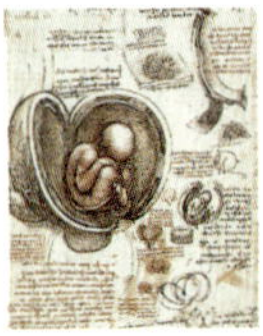

1510—1513

胚胎成长解剖研究

英国温莎
皇家图书馆
P.059

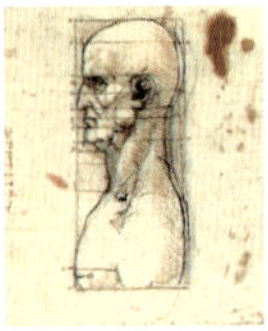

1490

男人侧面像

意大利威尼斯
艺术学院
P.076

1495—1497

最后的晚餐

意大利米兰
圣玛利亚感恩教堂
P.062 / P.063

1482

机枪设计图

意大利米兰
安布罗西安图书馆
P.078

1485

附有镰刀的战车设计图

意大利都灵
都灵图书馆
P.088 / P.081

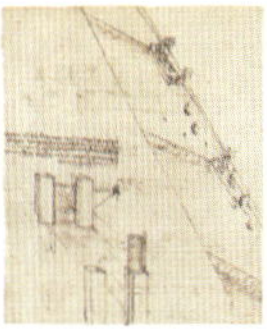

1495

行驶帆船的爱文运河

意大利米兰
安布罗西安图书馆
P.090

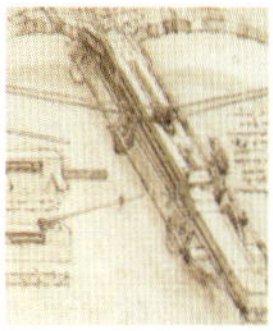

1485

巨大弩箭设计图

意大利米兰
安布罗西安图书馆
P.082 / P.083

1516

大洪水

英国温莎
皇家图书馆
P.091

1508—1509

水流素描图

英国温莎
皇家图书馆
P.086

1499—1500

圣母、圣子、圣安妮与施洗约翰

英国伦敦
国家画廊
P.094

1482

运河水闸与水坝

意大利米兰
安布罗西安图书馆
P.088 / P.089

1506—1513

圣母、圣子与圣安妮

法国巴黎
卢浮宫
P.098

1503—1507

蒙娜丽莎

法国巴黎
卢浮宫
P.106

1513—1516

施洗者圣约翰

法国巴黎
卢浮宫
P.114

1516

自画像

意大利都灵
都灵国家画廊
P.118

1480—1485

百合

英国温莎
皇家图书馆
P.122

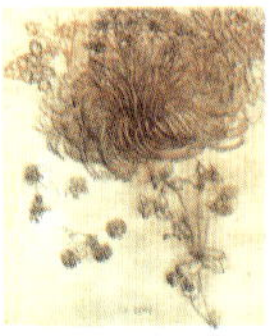

1506

伯利恒之星与其他植物

英国温莎
皇家图书馆
P.123

1475

人体坐姿衣纹习作

意大利佛罗伦萨
乌菲兹美术馆
P.125

1475

人体跪姿衣纹习作

美国新泽西
普林斯顿大学强生展览室
P.126

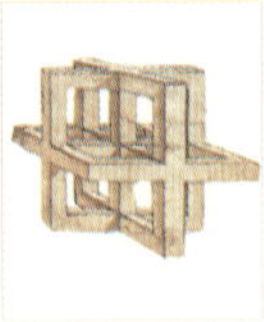

1510

几何图形

意大利米兰
安布罗西安图书馆
P.129

1495

佛罗伦萨运河计划图

意大利米兰
安布罗西安图书馆藏
P.163

1473

亚诺河风景

意大利佛罗伦萨
乌菲兹美术馆
P.164 / P.165

1485

战车设计图

英国伦敦
大英博物馆
P.168 / P.169

1490

利塔圣母像

俄国圣彼得堡
赫米塔希美术馆
P.186

1490—1495

无名女子像

法国巴黎
卢浮宫
P.188

1510

颈项与肩膀肌肉解剖研究

英国温莎
皇家图书馆
P.191

1510

女性生殖器官与胎儿成长解剖研究

英国温莎
皇家图书馆
P.196

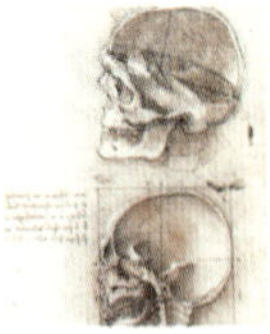

1489

头骨解剖研究

英国温莎
皇家图书馆
P.197

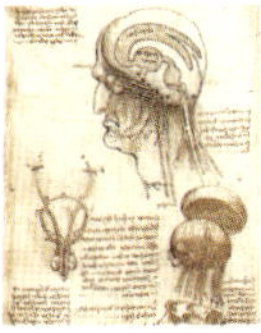

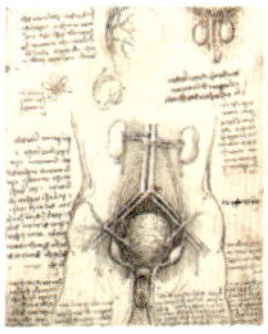

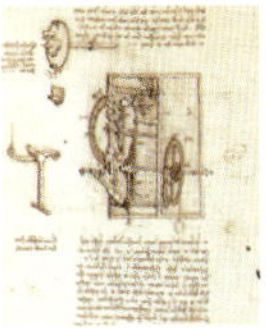

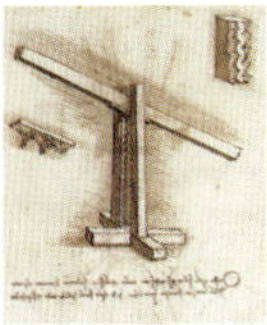

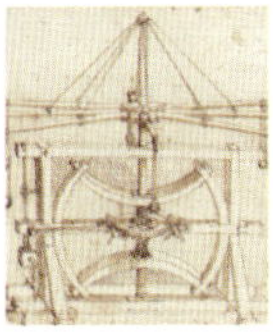

图书在版编目（CIP）数据

蒋勋谈达芬奇：忧伤的微笑 / 蒋勋著. -- 北京：北京联合出版公司, 2018.5（2018.12重印）

ISBN 978-7-5596-0072-1

Ⅰ. 蒋… Ⅱ. ①蒋… Ⅲ. ①达·芬奇（Leonardo, da Vinci 1452-1519）- 人物研究 Ⅳ. ①K835.465.72

中国版本图书馆CIP数据核字（2018）第039667号

著作权合同登记号：01-2014-7820

本书由作者授权出版

蒋勋谈达芬奇：忧伤的微笑

作　　者： 蒋　勋

总 发 行： 北京时代华语国际传媒股份有限公司

责任编辑： 孙志文

封面设计： 所以设计馆

责任校对： 许　罡

北京联合出版公司出版

（北京市西城区德外大街83号楼9层 100088）

北京盛通印刷股份有限公司印刷　　新华书店经销

字数200千字　　710毫米×960毫米　1/16　　17印张

2018年5月第1版　　2018年12月第2次印刷

ISBN：978-7-5596-0072-1

定价：99.80元